もうかる会社には
ワケがある

吉川市商工会
三郷市商工会
松井　孝司

はじめに

みなさん、はじめまして。
私は埼玉県三郷市に本社のある、松井産業株式会社という不動産事業、住宅事業などを営んでいる会社で、代表を務めさせていただいている、松井と申します。

この本はおもに次のような方々に向けて書きました。
①商工会会員
②商工会入会希望者
③起業を目指す人
④二代目経営者
⑤百年企業を目指す人
⑥売上5億円までの会社の社長
⑦売上5億円までの会社の部長

私は2018年より、三郷市商工会の副会長を拝命しております。現在三郷市商工会には２７００社あまりの会員がいらっしゃいますが、事業不振や高齢化、後継者難などで廃業してしまう方が毎年数十社くらいあります。

それは三郷市だけの問題ではなく、全国の商工会でも同じようなペースで会員の減少が進んでいるといわれています。２００５年（平成17年）ころまでは１００万社を超えていた全国の商工会の会員が、現在では20万社も減っているのです。


昨年（２０１９年）11月21日に開催された第59回商工会全国大会で採択された大会決議の中に、次のような項目がありました。

「中小・小規模事業者の持続的発展に資するための支援強化」

私はこの決議を見て、自分でも何かできることをやろうと思いました。そこで考えたのが、私がこれまで勉強してきて、自分の会社で実践し、それなりの結果を得ている経営のノウハウを商工会の会員向けに本の形でお伝えすることです。


商工会の会員が減っていくということは、日本全体の企業がそれだけ消滅することにほかなりません。それはすなわち、日本の国力が衰えていくことを意味します。

そのような現象が起きてしまう原因として少子高齢化や後継者難がよく挙げられていま

す。しかし小規模企業の場合は、もうかる会社、魅力のある会社であれば、跡を継ぐ人に困ることはないはずです。

ではなぜもうかる会社、魅力のある会社にできない会社が出てきてしまうのか。私はその原因を「令和になっても平成のやり方で経営しているから」だと思っています。

私は三郷市商工会で融資審査会委員を担当していますが、融資を申し込んでくる会社の決算書類をたくさん見ているうちに、あることに気がつきました。それは、多くの経営者が「優秀な職人ではあっても、優秀な経営者になりきれていない」ということです。

優秀な職人ですから、目の前に来た仕事は見事に仕上げてお客様に喜んでもらうことができます。ですから、断らなければならないくらいの発注が続いていれば、資金繰りに窮することはないでしょう。

しかし、何かの拍子に受注がピタリと止まってしまえば、たちまち困ってしまいます。会社に留保してある資金を食い潰してしまえば、どこからか資金を調達してこなければなりません。優秀な経営者なら、そんな状態になる前に何か手を打っているはずです。

私はそういう人たちに、この本を読んでもらいたいと思っています。「読めばあなたの会社の利益が2倍になる！」という内容なら、きっと日ごろ読書から遠ざかっていた経営者の方でも手に取っていただけるでしょうし、書いてあることに共鳴していただけたなら、会社の状況が良くなって、もしかすると商工会の仲間にもなっていただけるかもしれません。

「読めば利益が2倍になるなんて、そんなうまい話があるものか」と反発されるかもしれませんが、その件に関して私は自信があります。なぜなら、松井産業が成長してきた、その基礎となる考え方をすべてこの本でお伝えしようと思っているからです。

本書の巻末カラーページにある図は、松井産業が次々と経営革新を遂げて発展してきた様子を表したものです。私たちは小さな一軒の呉服屋からスタートしました。その後、カラーページの図にあるような変遷を経て、今日に至っています。私たちがこれまでにいろいろな事業を手がけてきたことがおわかりと思います。

私たちは特別に難しいことや特殊な技能を用いて会社を成長させてきたのではありません。やさしい言葉で書かれたルールブックを作り、それを社内で共有し、みんなで実践することで、すべての従業員の仕事に対する価値観をそろえてきたのです。その積み重ねで私たちは成長してきました。

私がそういう経営のやり方を始めたのは、1992年（平成4年）に社長に就任してからです。いろいろなところで勉強してきた成果を活かそうと思ったのですが、実際に事業成績が良くなったのは、始めて3～5年くらい経ってからでした。

私はみなさんに、私と同じような勉強をしていただこうとは思っていません。この本は現場で忙しく働いている経営者の方々にも理解しやすいように、図解を大量に入れ、徹底的にやさしく書いたつもりです。

この本を読んで、その内容を素直に真似して実行に移していただければいいのです。そして、「ほう、これは役に立つ」と思われたら、それから必要に応じて専門書などに手を伸ばしてもらえばいいと思っています。

本書の最後には、読者のみなさんへのささやかなプレゼントを用意しました。『会社をもっと良くしたい」と願っている経営者の方々に、きっとお役に立つ企画であろうと思います。

また、本書に挟み込みのはがきサイズのカードも、私からのプレゼントです。忙しい毎日の中で、つい忘れてしがいがちな感謝の言葉「ありがとう」を思い出していただくために作りました。どこか目につくところに置いていただければと思います。

この本を読むと、利益が2倍になります。そして仕事の流れがスムーズになります。後継者も見つけやすくなるでしょう。それにより、みなさんの会社が100年企業を目指していただくようになることが私の願いです。どうぞ最後までおつきあいのほどをお願いします。

2020年（令和2年）3月22日

松井孝司

もうかる会社にはワケがある

目次

第1章
小規模企業を「もうかる会社」にするには

私の願っていること

私は三郷市商工会で融資審査会委員をやっています。商工会に入るメリットのひとつに、「マル経融資」という無担保・無保証人の融資が受けられる制度があるのですが、日本政策金融公庫からその融資を受けるためには、商工会が推薦をしなければなりません。私はその審査委員なのです。

マル経融資を受けるには、過去3期分の決算書の提出が必要です。私は委員の立場としてその決算書をチェックするのですが、申し込んできた会社の中には、わずかに黒字という会社があり、しかも年商数千万円から数億円の事業規模のところが多いのです。年間40～50件くらいはある申し込みのほとんどが、そのくらいの事業規模です。

数千万円の売上だったら、利益は数百万円でしょう。それが全部社長さんの取り分だったとしても、それで食べていけるのでしょうか。不思議に思って事務局の人に聞いてみると、「ああ、あの人は奥さんがパートで働いているから、大丈夫なんです」という返事。

【マル経融資の仕組み】

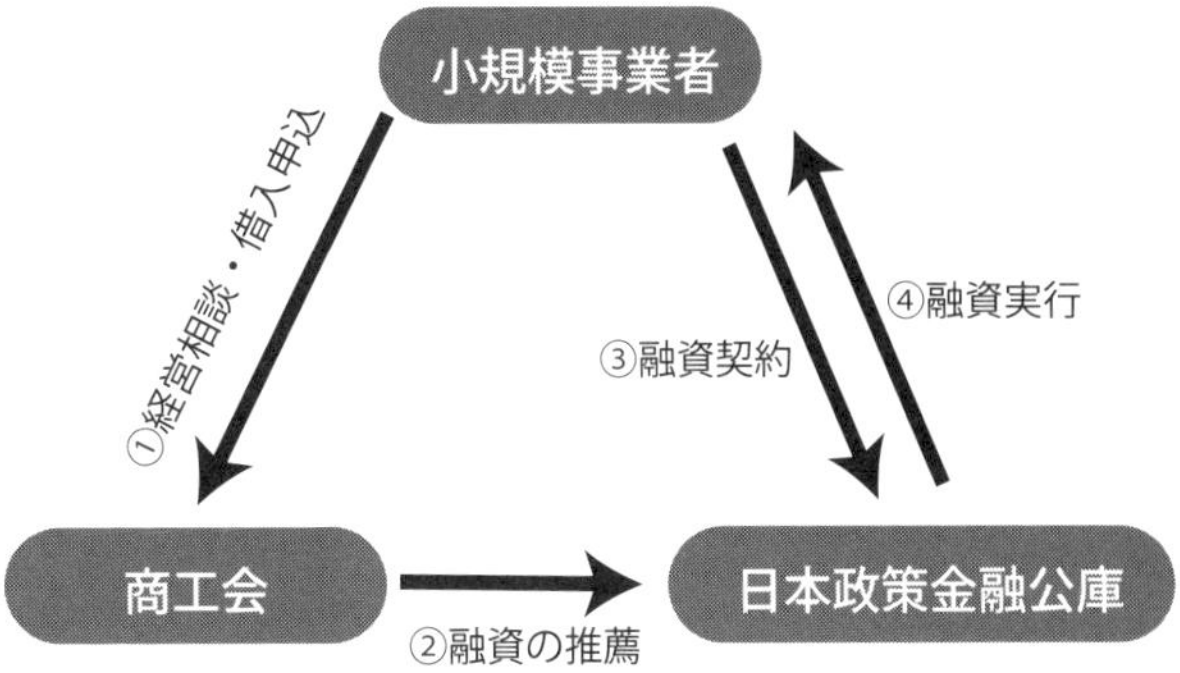

【マル経融資が受けられる条件】

●従業員 20 人以下の法人・個人事業主
（ただし、宿泊業と娯楽業を除く商業・サービス業は 5 人以下）

●商工会の経営指導を受けて事業改善に取り組んでいる

●指導を受ける商工会の地域内で 1 年以上事業を行っている

●商工業者であり、日本政策金融公庫の融資を受けることができる事業を営んでいる

●税金（所得税、法人税、事業税、住民税）を完納している

それでは跡を継いでくれる人も見つからないでしょう。

「はじめに」で申し上げた通り、私はこの本を読んだ経営者のみなさんに「百年企業」を目指していただきたいと思っています。もちろん赤字では百年も続きませんから、しっかりと利益を出して、後継者にバトンを渡していくことのできる経営をしていただきたいのです。その上で商工会や地域、業界の団体を活用し、地元で存在感のある会社になっていただきたい。そうなれば、三郷市はもちろんのこと、日本の産業が活性化すると思うのです。

「仕事」ではなく「経営」をしなければ

売上や利益が少なく、人手不足や後継者難で「百年企業」どころかすぐ先の未来もおぼつかないという社長さんがいます。その人たちは、みなさん「仕事」は一生懸命に取り組まれているものの、「経営」はあまり本格的になさってはいないということです。

「そんなことないよ、経営もしっかりやってるよ」と怒られてしまうかもしれませんが、では御社の損益計算書と貸借対照表のだいたいの数字を覚えておられますか？　もしかして税理士さんに丸投げして申告までお任せではありませんか？　また、短期、中期、長期

【百年企業は 3 万 3259 社】

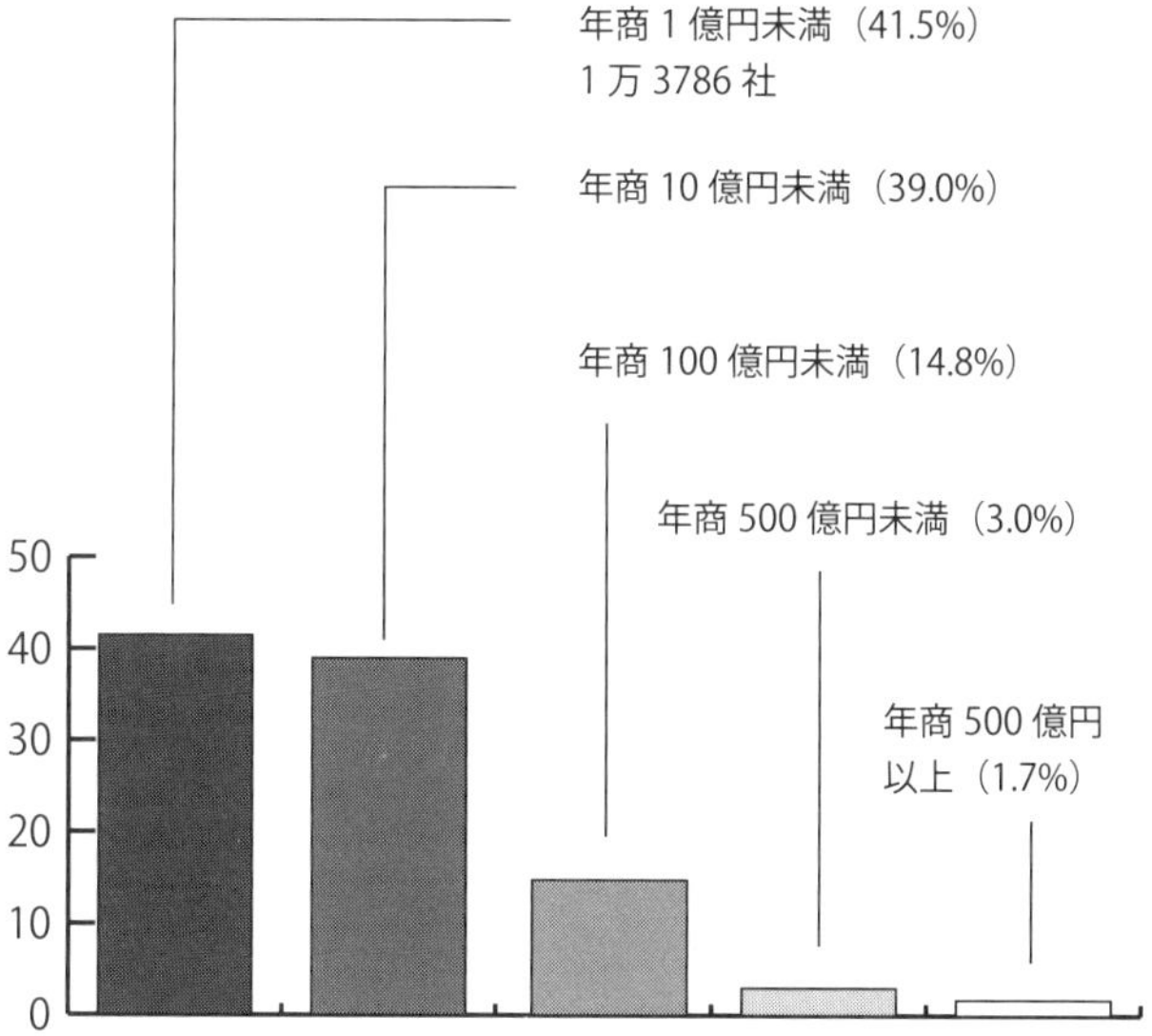

2019 年現在、日本には 3 万 3259 社の「百年企業（創業 100 年を超える企業）」が存在するが、年商別で構成比を見ると 1 億円未満の企業が 1 万 3786 社（41.5%）と最も多く、百年企業の多くが小規模事業者であることがわかる。

出典 : 帝国データバンク「『老舗企業』の実態調査」

の経営目標を数字で掲げておられますか？　単に売上金額の目標だけでなく、経常利益も数値目標にしていますか？

じつは私も昔は「仕事」ばかりで「経営」がおろそかになっていました。現場上がりで仕事のことは人に負けない自信がありましたが、数字は見たことがなかったので、読めないしわからない。これではいけないと思うようになり、詳しい人に頼んで数字をチェックしてもらい、私にもわかるようにレクチャーしていただきました。それから、社長を継ぐ準備としてあちこちの勉強会に行くようになり、必要な資格もいくつか取りました。

そんな中で思ったのが、厳しい競争を勝ち抜いていくためには、自社の特徴をはっきりさせて、他社との差別化を図らなければならないということでした。そのためには社内の価値観（会社を経営することの重要性）をそろえる必要があります。従業員がそれぞれ勝手な方向を向いていては、会社の個性を打ち出すことはできないからです。

たとえば、「お客様第一主義」という言葉がありますが、その言葉だけを呪文のように唱えていても、実際に行動に結びつかなければ意味がありません。どういう行動が「お客

【小規模企業の基本】

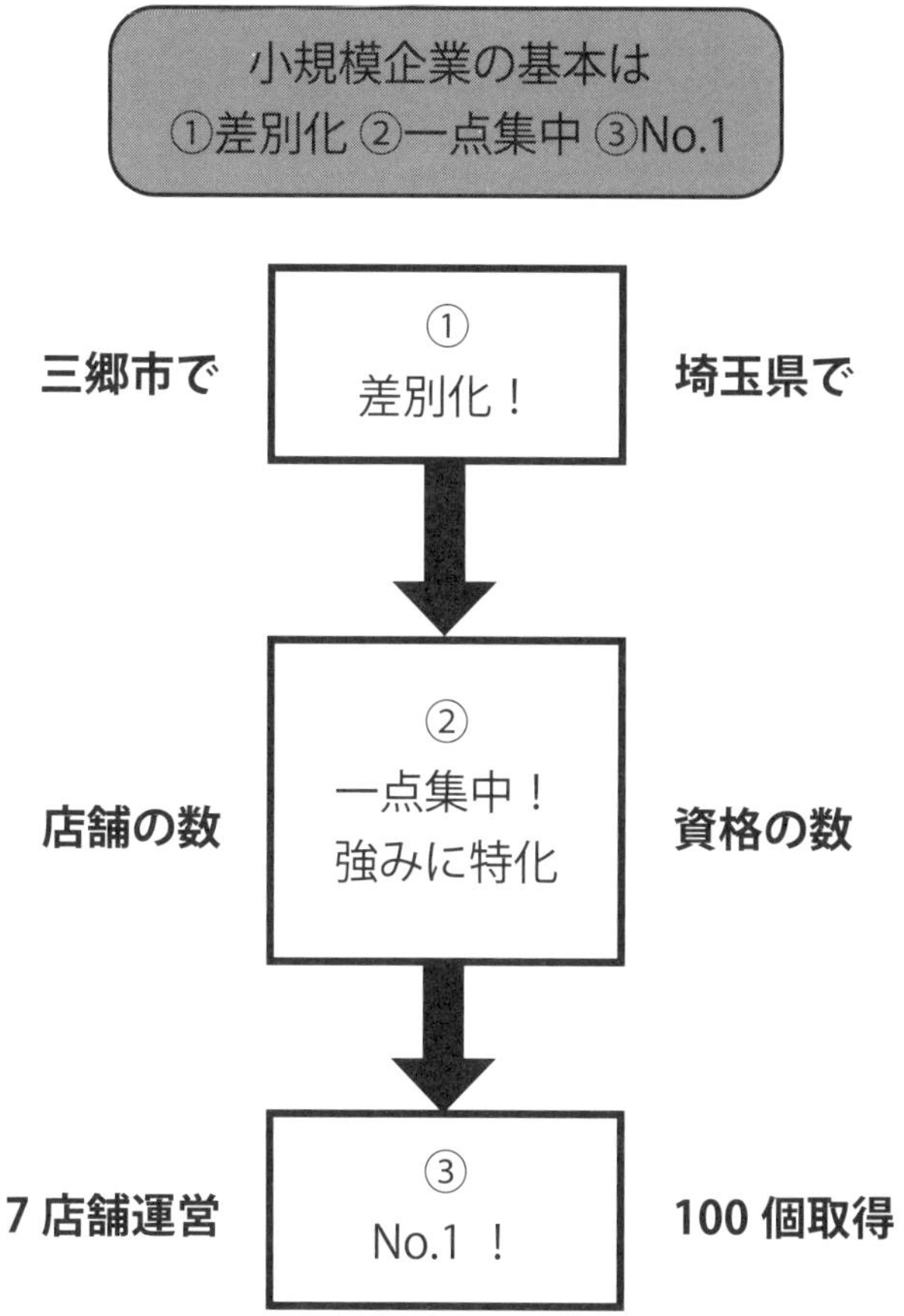

小規模企業は差別化し、
一点集中して No.1 を作る。

様第一主義」のポリシーに即したものなのか、小さなこと一つひとつを社内で検討し、行動指針に変えていく必要があるのです。

そのために私が導入したのが、「経営計画書」というものでした。

目標を定めてその実現に力を注ぐ

「経営計画書」をすでに作られている方は、きっとうなずいていただけると思いますが、作られていない、あるいは「経営計画書」という言葉もご存じない方は、「なんだか難しそうだな」と本を閉じる用意をされてしまうかもしれません。でもご安心ください。本書では難しい専門用語はできるだけ使いません。これ以上できないくらいやさしく、わかりやすく説明しますので、どうか最後までおつきあいください。

さて、「経営計画書」を作る理由は、従業員すべてが社長の考えていることをよく理解し、同じ方向を向いて仕事をするためです。自分たちの会社が何のために存在するのかを共通の認識とし、会社が発展拡大していくために何が必要なのかを確認し、目標の数値を掲げ

【経営計画書が描く未来像】

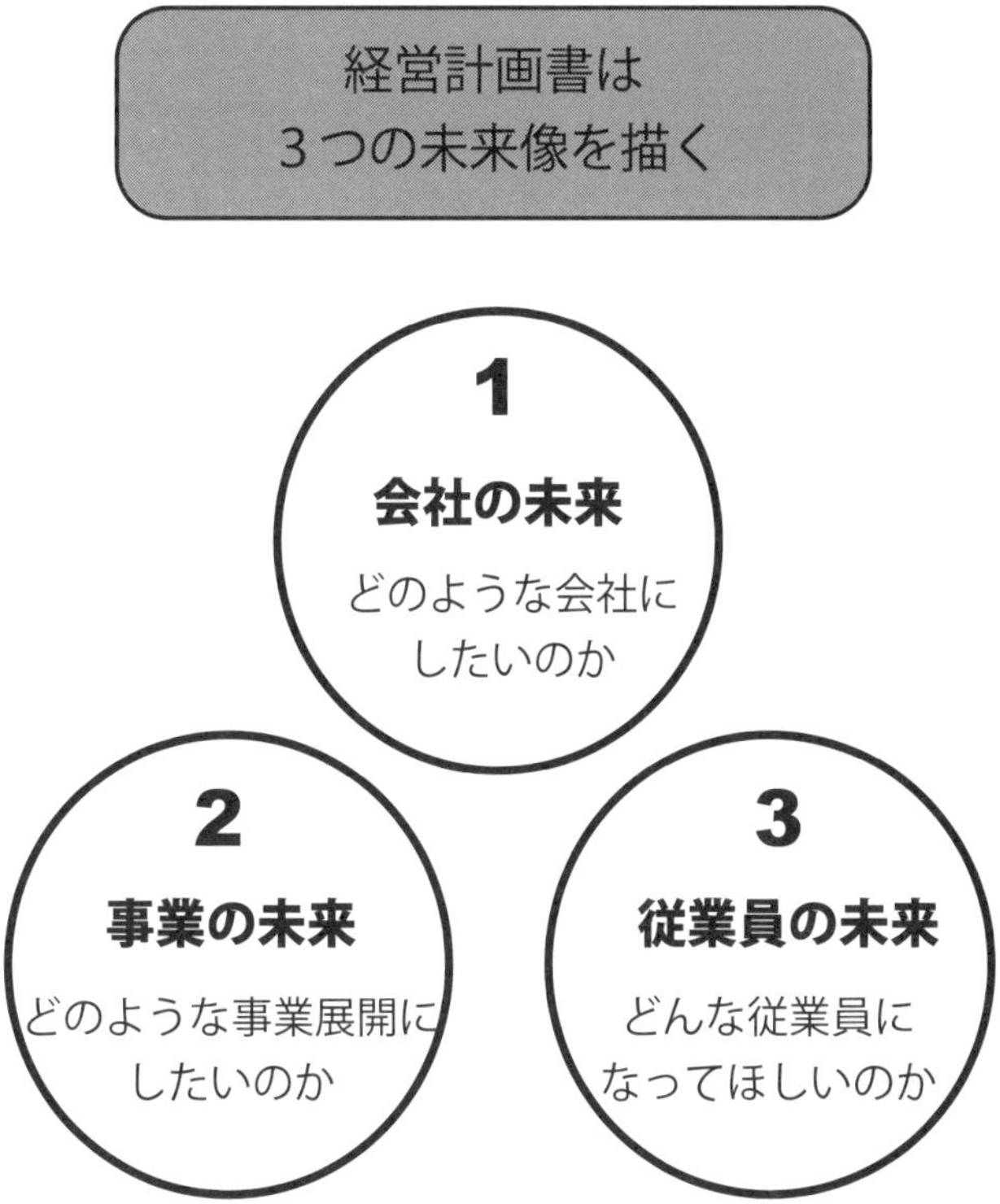
経営計画書は
3つの未来像を描く
1
会社の未来
どのような会社に
したいのか
2
事業の未来
どのような事業展開に
したいのか
3
従業員の未来
どんな従業員に
なってほしいのか

てその実現のために細かい項目を挙げていきます。そこに書いてあることを従業員のみんながきちんと守れば、必ず会社は発展するという文書なのです。

私の会社がこの「経営計画書」を初めて導入したのは、1992年（平成4年）のことでした。そのときはわずか28ページの文書でしたが、それから毎年改訂を重ねてきて、28年経った今では、従業員の誰もが手許に持っている170ページのものに進化しています。会社もそれとともに成長を続けることができました。

「経営計画書」がどのようなもので、どんなふうに使えばよいかは次章以降で詳しくご説明しますが、ここからは私と私の会社がどのような歩みで「経営計画書」の導入にたどり着いたのかをお話ししたいと思います。私自身、経営コンサルタントなどではなく、実在する会社の経営者ですので、そのほうが理解していただきやすいでしょう。

最初の仕事は見よう見まねの肉屋

私は親からこの会社を引き継ぎましたが、最初から社長候補者として帝王学を学んでいたわけではありません。学校を出た私に父が言ったのは、「肉屋をやれ。ついてはあそこ

【経営計画の構成要素】

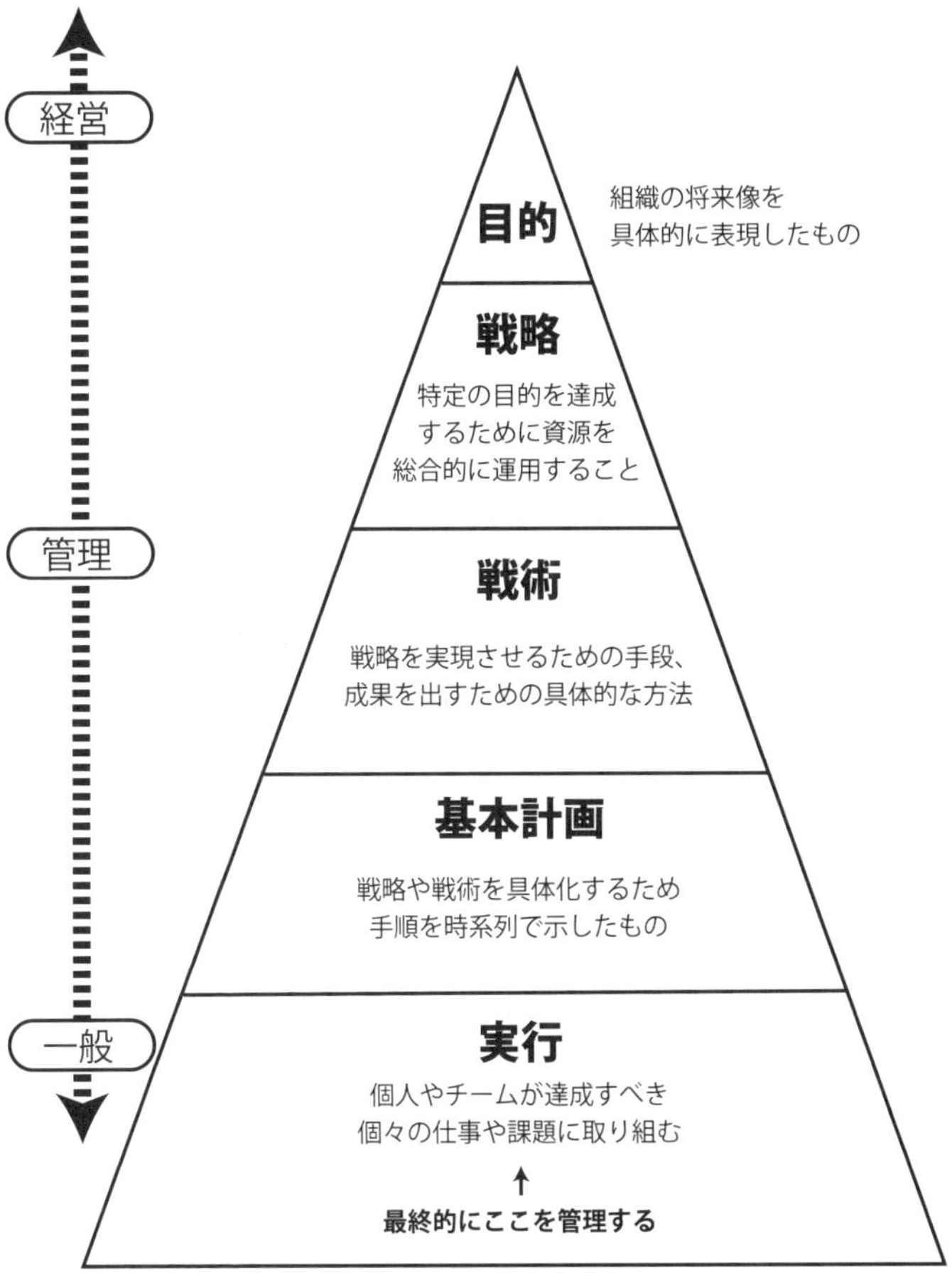
経営
管理
一般
目的
組織の将来像を
具体的に表現したもの
戦略
特定の目的を達成
するために資源を
総合的に運用すること
戦術
戦略を実現させるための手段、
成果を出すための具体的な方法
基本計画
戦略や戦術を具体化するため
手順を時系列で示したもの
実行
個人やチームが達成すべき
個々の仕事や課題に取り組む
最終的にここを管理する

組織をうまく動かすためには、5つのマネジメント要素を有機的につなげ、適切に管理することが必要。

で修業してこい」という言葉でした。

松井産業という会社はいろいろな業種にチャレンジして多角化しながら成長してきました（巻末資料参照）。肉屋というのもその一環だったのだと思いますが、とにかく私は言われた通りに半年間肉屋の勉強をするために修業に行き、その後の4年間を必死で働きました。

店があったのは三郷市の三郷団地です。

朝の6時にはお店に入り、夜の10時ころまで働いていました。父からは何のアドバイスもなく、ただがむしゃらに仕事をしていた感じです。仕事はしていましたが、経営という感覚はまったくなく、ほかの店との差別化も考えたことはありませんでした。

【アンゾフの法則の実践】

アンゾフの法則

		市場	
		既存市場	新規市場
商品	既存商品	市場浸透	市場開拓
	新規商品	商品開発	多角化

自社に当てはめる

		市場	
		既存市場	新規市場
商品	既存商品	呉服・米・飼料 不動産 鶏卵・鶏肉	飼料 不動産 鶏卵・鶏肉
	新規商品	精肉店 建築 介護	コンビニ ファーストフード

市場浸透、市場開拓、商品開発、多角化の長期計画を作る。

肉屋の次は住宅のクレーム処理

当時の松井産業の主力事業は不動産業でした。養鶏事業に関連して、養鶏農家の要望に応じて土地の斡旋《あっせん》をするようになり、そこから発展していったのです。土地を扱えば自然な流れで住宅建設の仕事も手掛けるようになり、地元の工務店数社に頼んで、住宅の建設もやり始めていました。

当時の住宅業界は、今からは考えられないような右肩上がりの時代で、とにかく作れば売れました。

ところが住宅を購入したお客様からのクレームが入るようになり、専門に対応する人間が必要になりました。その当時、松井産業の社長は私の父から叔父に代替わりしていましたが、叔父は「このままでは悪い評判が立って、会社の将来が危うくなる」と考えたようです。

しかし社内で相談してもクレーム処理は後ろ向きの仕事というイメージがあるので、引

【自社の強みと弱み】

SWOT分析

		内部環境	
		強み（S）	弱み（W）
外部環境	機会（O）	**積極攻勢** 強みを機会と組み合わせ、事業を強化・拡大する	**弱点強化** 弱みを改善して、機会を捉えられるようにする
	脅威（T）	**差別化** 強みを武器にして脅威を機会に変えていく	**防衛** 常に最悪の事態にならないための手を打つ

お客様からのクレームを処理して、お客様の期待に応える。防衛から弱点強化を図る。そして、弱みを強みに変えていく。住宅のクレーム処理。

き受ける従業員がいません。そんなわけで肉屋をやっていた私に白羽の矢が立ったのでした。私はクレーム担当を引き受けることにしました。

そのころのクレームの内容は、ほとんどが雨漏りでした。お客様から「雨が漏っている」という電話をいただくと急行し、まず雨が漏っている場所を探します。ところが私は肉屋ですから、住宅のことは素人《しろうと》です。おっかなびっくりハシゴをかけて屋根に上がっても、どこから漏っているのか想像もつきません。落ちて大怪我をするのではないかとビクビクものでした。

たいていの家が二階建てで、二階の屋根に上るわけですが、上るときはそれほど怖くなくても、降りるときが恐怖です。屋根の上を歩いてハシゴのところまで戻り、そこに足をかけて一段ずつ降りていくのは、本当に命がけの気持ちでした。

でも、私はその仕事が嫌ではありませんでした。「雨が漏る」というお客様の「困りごと」をとにかく解決して喜んでもらいたい。その一心で仕事をしました。

【お客様への 2 つのサービス】

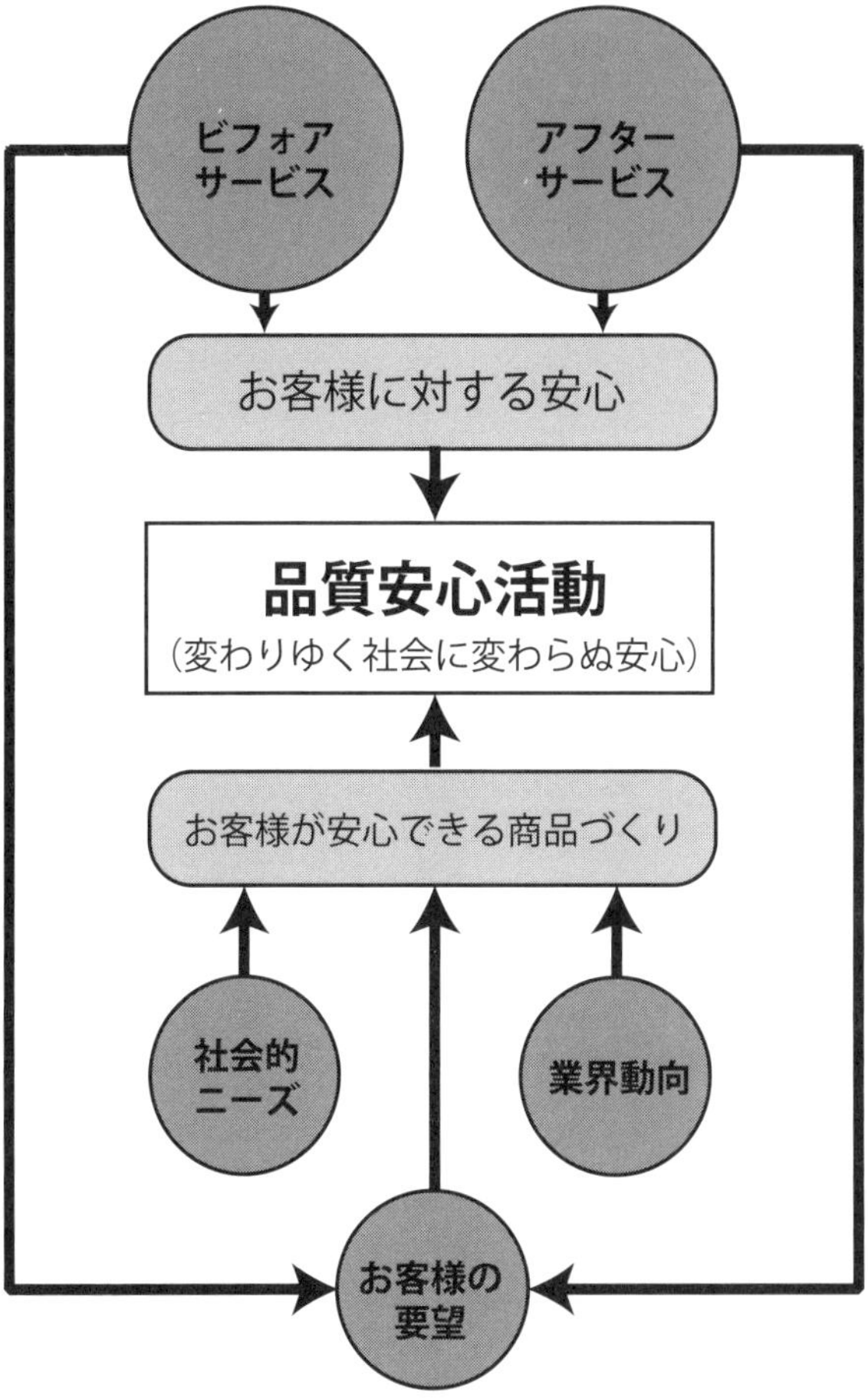

お客様からのクレームに対してアフターサービスが充実していることはもちろん、購入時点で正しい使い方を説明しておくことも大切（ビフォアサービス）

基礎知識の不足を痛感し、資格取得を目指す

こうして私は、雨漏り修理屋の経験を活かして、自分で工務店をやるようになりました。たとえ肉屋上がりの素人でも、心を込めて一生懸命に作れば、きっといいものができる。そう思っていました。

しかし、外から見るのと実際にやってみるのとでは大違いでした。住宅建設の世界はとにかく奥が深く、雨漏り修理屋みたいなわけにはいきませんでした。

まず、私は設計図が読めません。これはこの仕事をする上では致命的なことでした。私の立場は、設計図を読んで理解し、それを職人さんに説明して家を作ってもらうことです。それが満足にできないのだから、現場が混乱します。

これじゃあいけないということで、私は建築の基本の勉強を始めました。しかし、もともと勉強が苦手なので、ただ参考書を読んでも頭に入りません。どうしたらいいかと悩んだ末に、資格を取ることにしました。

【私が取得した資格】

100の資格のうち、1から50まで

1	宅地建物取引士（宅建）	26	ホームヘルパー3級
2	建設用リフト運転	27	増改築相談員
3	アーク溶接	28	ホームヘルパー2級
4	クレーン運転	29	福祉用具専門相談員
5	玉掛技能	30	一級ファイナンシャル・プランニング技能士
6	建設業務事務士3級		
7	建設業務事務士2級	31	射撃銃所持許可
8	日商簿記3級	32	可能思考基礎
9	日商簿記2級	33	可能思考変革
10	二級建築士	34	住宅診断員
11	二級土木施工管理者	35	シックハウス診断士補
12	二級建築施工管理技士	36	相続FP
13	一級建築施工管理技士	37	応急手当普通救命
14	一級建築士	38	風水鑑定士B級
15	一級土木施工管理技士	39	風水鑑定士C級
16	建築積算資格者	40	やすらぎ福祉コンシェルジュ
17	インテリアプランナー	41	高優賃コーディネーター
18	損害保険初級資格	42	住宅ローンアドバイザー
19	初級FP資格	43	ケアマネージャー
20	木造住宅耐震診断士	44	介護福祉士
21	AFP（中級資格）	45	生命保険一般課程
22	地球住宅認定審査員	46	カイロプラクティック初級
23	CFP（上級資格）	47	管理建築士
24	住環境コーディネーター	48	住いの防犯アドバイザー
25	公庫融資住宅調査技術者	49	住宅リフォームカウンセラー
		50	定借プランナー

私が最初に取った資格は「宅地建物取引士」です。そして、合格証をみんなに見せて歩きました。これで職人さんたちとの関係が変わりました。私は勉強して資格を取ったのだから知識はあります。職人さんは建築基準法とかの知識はなくても、現場でたたき上げの経験が身についているので実力はあります。その私の知識と職人さんの現場力、それをお互いに補完し合ってやっていこうと提案したのです。

これで現場はうまく回るようになりました。その後二級建築士を取りましたが、あるときお客様から「やはり一級建築士に頼まないと、いい家はできないんだね」と言われてしまい、私のハートに火がつきました。それまでは、私は設計をするわけではないのだから、二級建築士で充分と思っていたのですが、お客様は「二級より一級」を求めるのです。

「それなら一級を取ってやろうじゃないか」と私は再び勉強を始め、ついに一級建築士を取得しました。そして、「他の資格も一級のほうがいいんだろうな」と、「一級施工管理技士」「一級土木施工管理技士」「一級ファイナンシャルプランナー」と、一級の資格を立て続けに4つ取りました。

【私が取得した資格】

100の資格のうち、51から100まで

51　耐震診断改修工事指導者	75　掃除能力検定4級
52　耐震技術認定者	76　掃除能力検定3級
53　住宅メンテナンス診断士	77　ホスピタリティ検定3級
54　定借プランナー（上級）	78　準耐火構造の設計施工
55　被災宅地危険度判定士	79　ハウジングプランナー
56　介護事務　ニチイ	80　塗装技術施工者
57　ハウスキーピングコーディネーター2級	81　施設長（老人ホーム協会）
	82　LABファイル
58　ケアクラーク	83　ホスピタリティ検定2級
59　介護事務　U-CAN	84　第二種電気工事士
60　コーチング応用コース	85　米国NLP協会プラクティショナー（GC、GL）
61　介護事務管理士	
62　生命保険専門課程	86　福祉施設士
63　日本NLP協会プラクティショナー	87　米国NLPマスタープラクティショナー
64　全米NLP協会プラクティショナー	88　品質管理検定4級
	89　JBN認定品質住宅JIO検査員
65　住宅維持管理士	90　米国NLPトレーナー
66　雨漏り検診アドバイザー	91　耐震改修技術者
67　全建連耐震診断改修	92　既存住宅現況調査技術者
68　ホームインスペクター	93　認知症介護実践者
69　室内空気環境調査士	94　社会福祉協議会会計実務初級
70　防蟻防腐認定施工者	95　ユニット施設管理者
71　JBN長期ちきゅう住宅形式認定	96　防火管理者
	97　ブランド・マネージャー2級
72　全米NLPマスタープラクティショナー	98　ほめ達検定2級
	99　介護プロフェッショナルアセッサー
73　日本NLPマスタープラクティショナー	
	100　ランチェスター戦略専門研究者
74　掃除能力検定5級	

その結果、私は「資格を持っていることをライバル会社との差別化ポイントにしよう」と考えるようになりました。取った資格をすべて名刺に印刷し、自社の優位点にすることにしたのです。

そして、私だけでなく従業員にも資格の取得を奨励し、建築関連の仕事をしている従業員を中心に、資格取得の勉強を始めました。私はというと、資格取得が趣味のようになり、今では100以上の資格を取得するに至っています。

資格の前に人間力の向上が必要

私をはじめ従業員が資格を持って技術を磨くようになり、お客様から技術面でのクレームをいただくことは激減しました。しかし、それでクレームが皆無になったわけではありません。技術面でのクレームが減っても、サービスの対応力に関するクレームは減りませんでした。むしろ、技術面の問題が少なくなったために、そちらが目立つようになりました。

どういうことかというと、たとえば「約束を守らない」「時間にルーズ」「挨拶や返事が良くない」といった、「人間性」や「人間力」に関わる部分でお客様からの不満が目立ってきたのです。

【資格取得で No.1】

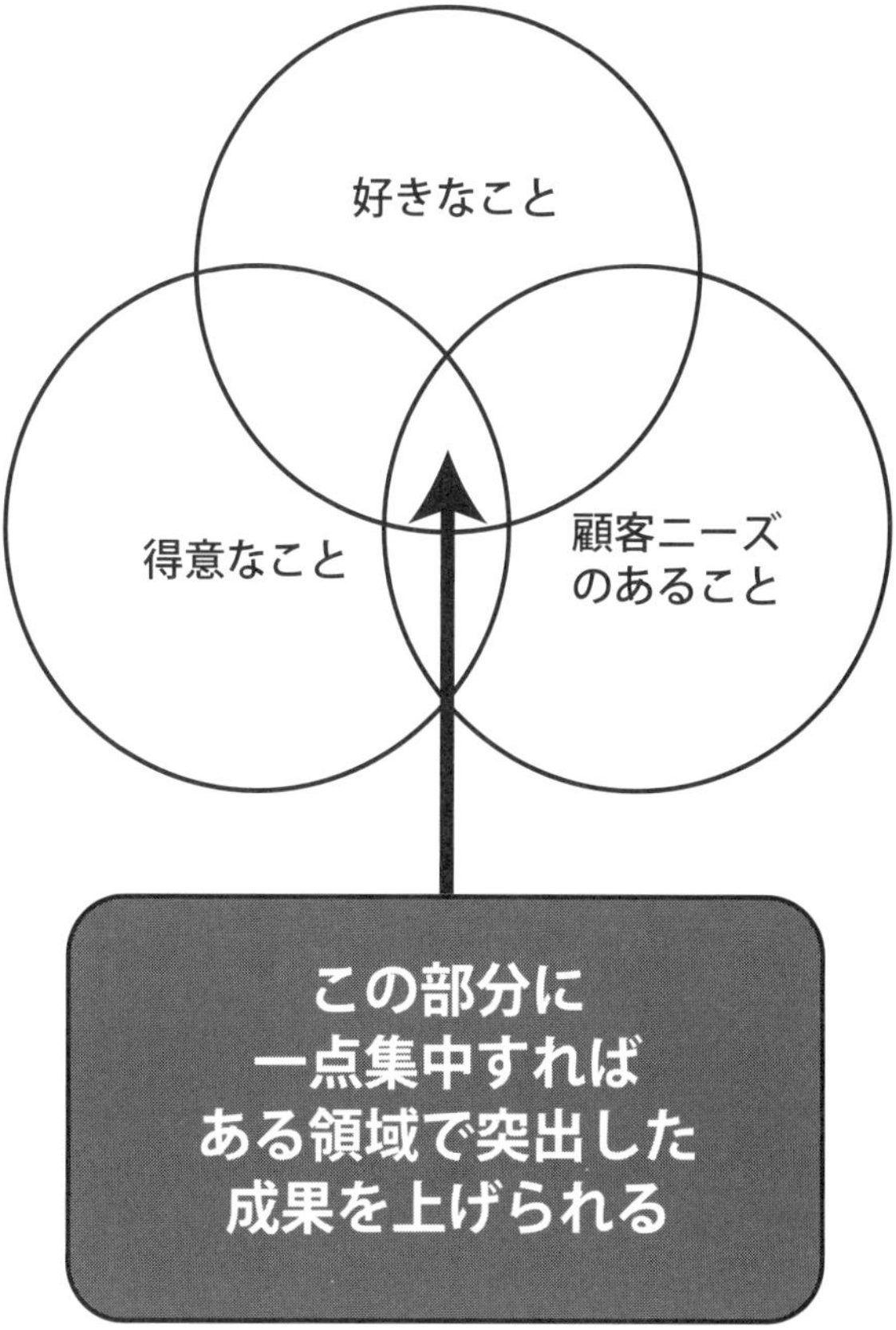
好きなこと
得意なこと
顧客ニーズ
のあること
この部分に
一点集中すれば
ある領域で突出した
成果を上げられる

名刺に資格 100 をのせる

この状況を見て、私は資格の取得や技術の向上と同様に、いや、むしろそれらよりも優先して、一般常識の勉強や人間性の向上に取り組む必要を感じるようになりました。

もちろん、技術力と人間力の両方を兼ね備えることができれば、それがベストです。しかし、どちらを優先するかという判断に迫られたなら、私は人間力のほうが先なのではないかと思いました。しっかりした人間力のある従業員がお客様の信頼を得ることができれば、技術は後からついてきます。

そんなとき、私は社長から日本経営合理化協会の一倉定《いちくらさだむ》先生の「社長学セミナー」を受講するように命じられました。

その勉強の中で、私は「経営計画書」というものが企業の経営に必要不可欠で、これをうまく作ることで従業員の人間力向上も図れるのではないかと考えるようになりました。

そして1991年(平成3年)10月25日、私は叔父である社長に対して、「経営計画書を作りたい」と提案しました。そして「経営計画書は社長が作るものなので、よろしくお願いします」と言ったところ、社長から「では孝司君、あなたが来年の1月から社長をやりなさい」と青天の霹靂《へきれき》のような命令が下ったのです。

【経営計画書は企業理念の共有をもたらす】

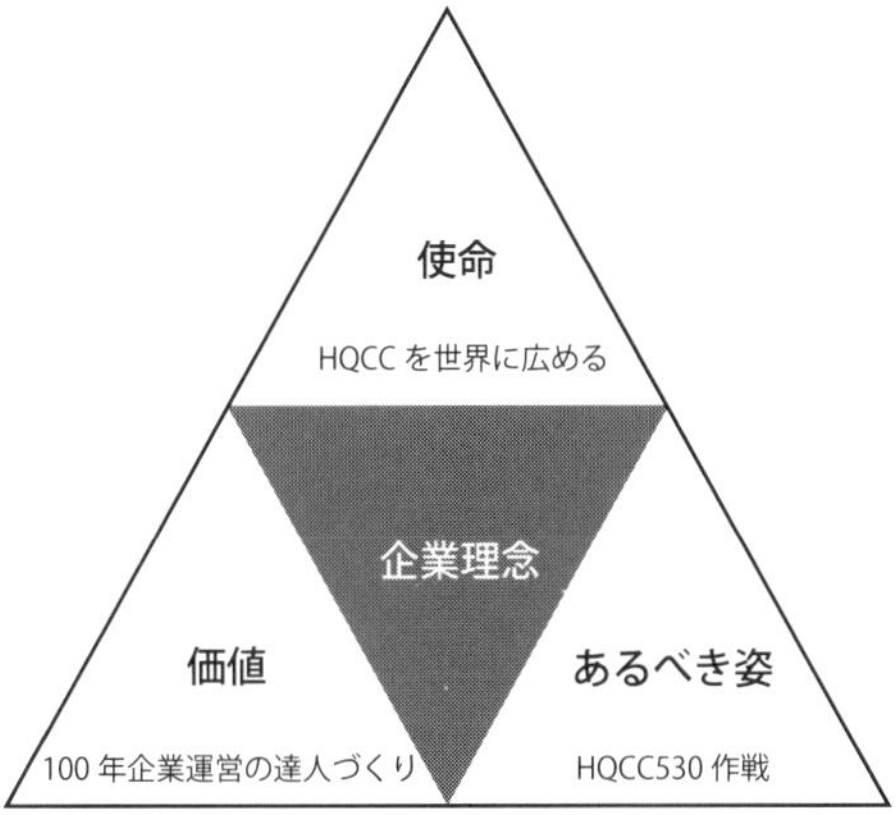

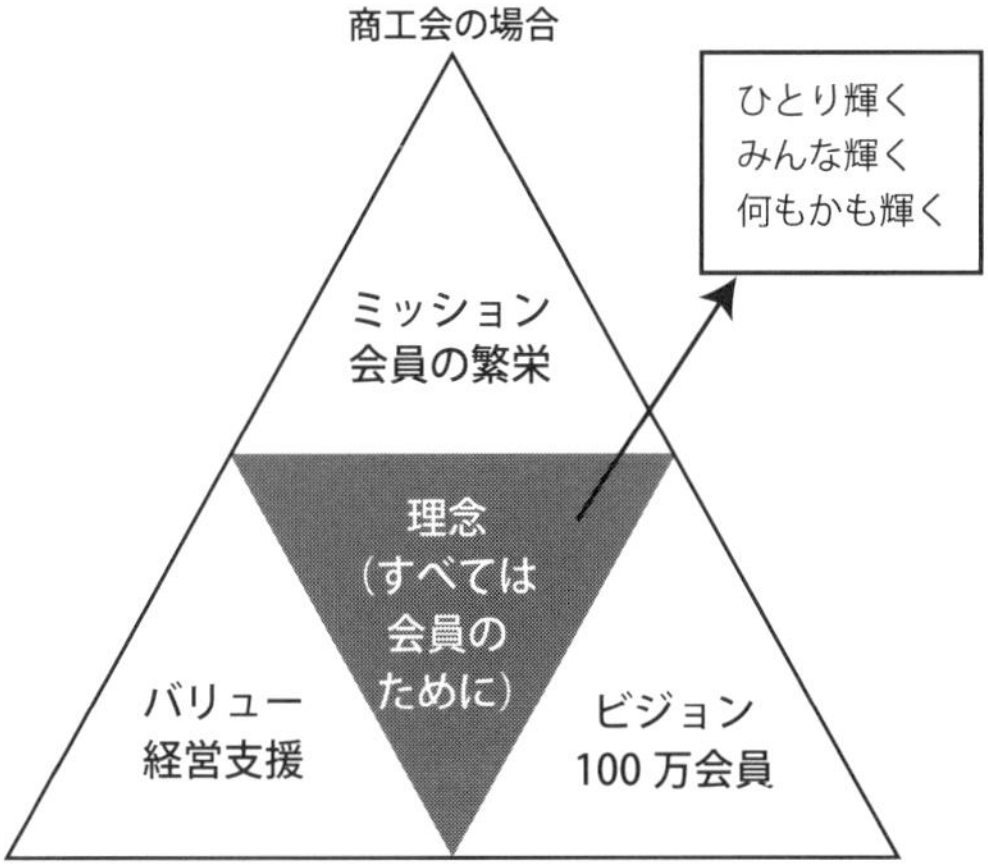

第1回経営計画書

経営計画書とはどんなものか、そこに何が書いてあるのか、また経営計画書があるとどうして従業員の人間力が向上するのかなどについては次の章でくわしく説明します。とりあえずここでは、その後の経過をざっとお話ししておきましょう。

あと2カ月しかないところで社長交代を言われて面食らいましたが、私はそれから必死に経営計画書を作り、1992年(平成4年)1月17日に、第1回経営計画発表会を開催し、そこで最初の経営計画書を披露しました。会場は忘れもしない千葉県柏市の日本閣です。

それから毎年、経営計画書は細部を手直しして新しくしていきました。ただし、これは後から考えると大きな間違いでした。どういうことかというと、「前年と比べて少しでも異なった計画を打ち出さないといけない」、つまり「前年と同じ計画では進歩がないと思われるのではないか」という気持ちで、変更のための変更をしていたのです。

しかし5、6年経つうちに、「計画の中で達成が不完全もしくはほとんど未達成のものを

【一倉定の社長学勉強会】

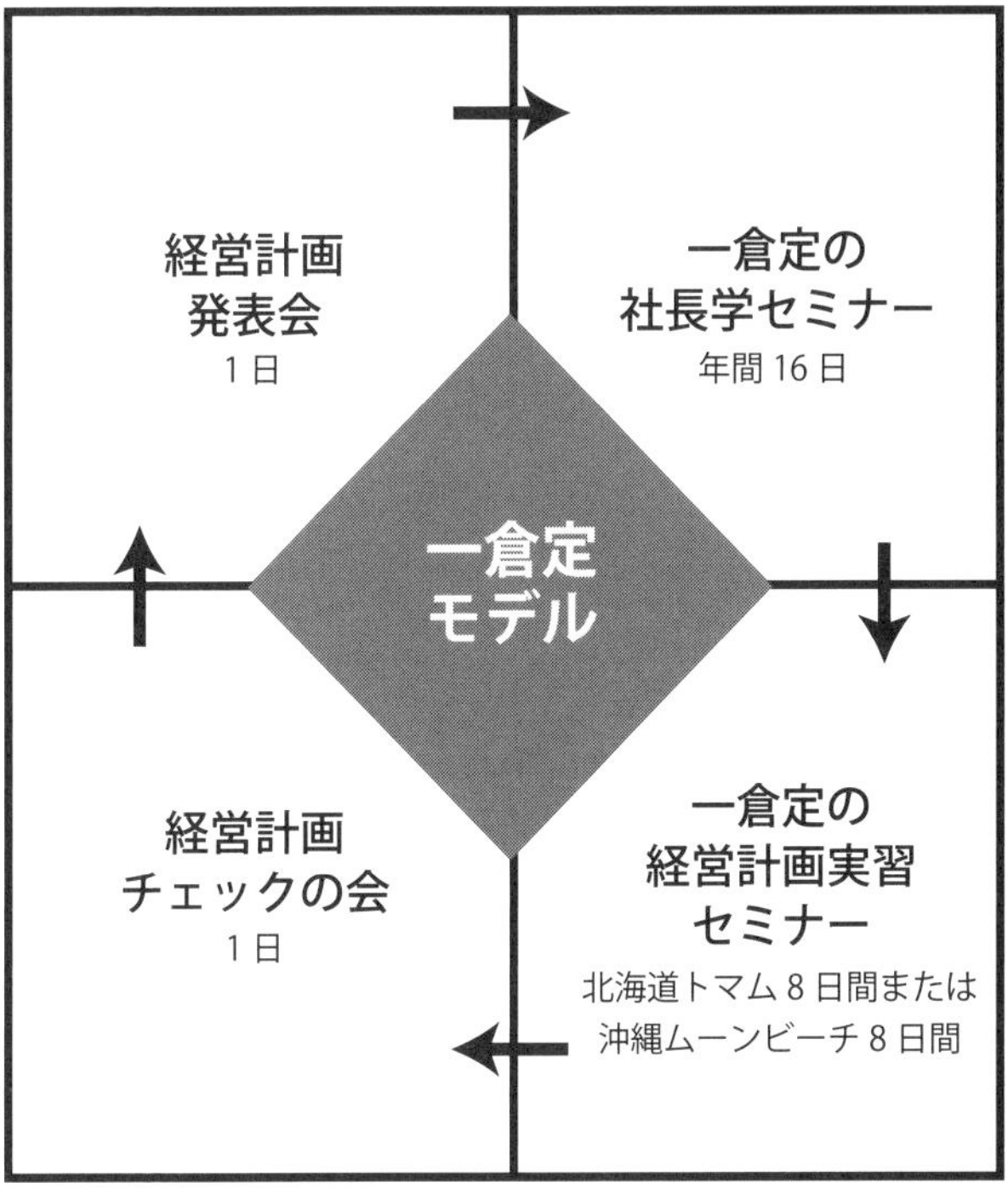

一倉定（いちくら さだむ 1918〜1999）は群馬県出身の経営コンサルタント。5000社を超える企業を指導し、多くの倒産寸前の企業を立て直した。経営者を叱り飛ばす姿から「社長の教祖」「炎のコンサルタント」の異名を持つ。

いかにして達成させるかを新たに計画に盛り込まなければならない」と思うようになりました。経営計画書に書かれている内容は、単なる言葉ではなくて、会社がその通りに運営されるべき基本プログラムです。だからできたところはさらに先を目指し、できなかったところはできるように改善しなければなりません。そのことに気づくまでに5、6年もかかってしまったということです。

経営計画書で会社が変わる

経営計画書を導入して5、6年経ったころ、私たちは「みんなが一致してやっていくために経営計画書があるのだ」ということをだんだん理解していきました。そこからは、できなかったことは何年でも同じことを書き、やり方やプロセスを工夫してできるようになるまで続けるようになりました。それでもできなければ、重点方針にランクアップして、担当者を決めて取り組むようにしました。

そうするようになって、ようやく私たちは「経営計画書は発表会をやって終わりではなく、書いてあることを実行しなければ意味がない」という本質に気づけたのです。

経営計画書を勉強した時代は、まだ経済が右肩上がりで、一生懸命に働けば利益を伸ば

経営計画発表会の様子。第１部が経営計画発表、第２部で表彰とよさこい踊り、早食い競争などの余興が披露された。

すことが可能でした。私が一倉先生のセミナーで一緒に勉強した経営者の多くは、経営計画書を導入せずにそのまま経営を続けていました。

しかし現在、見渡してみると彼らの会社はほとんど生き残っていません。経営計画書なしの経営は、時代や環境に恵まれているときはいいのですが、逆境に耐えることが難しいのです。

幸いなことに、私たちの会社は伸び続けることができました。経営計画書の導入当初はもたもたしましたが、5年、10年と使い続けていくうちに、導入していないライバルに大きな差をつけることができました。

つまり、若い会社の場合は即効性はないけれど、長いスパンで見れば明らかに効果がある仕組み、それが経営計画書といえます。

私は社長になりたてのころ、「人は1回言えばわかる」と思い込んでいました。とくに30代、40代の従業員なら、一度言えば充分で、何度も繰り返すのはくどいと思っていました。しかしそれは勘違いでした。

人は朝礼などでみんなの前ではもちろん、面と向かって話しても、紙（指示書や通達な

【NLP コミュニケーションモデル】

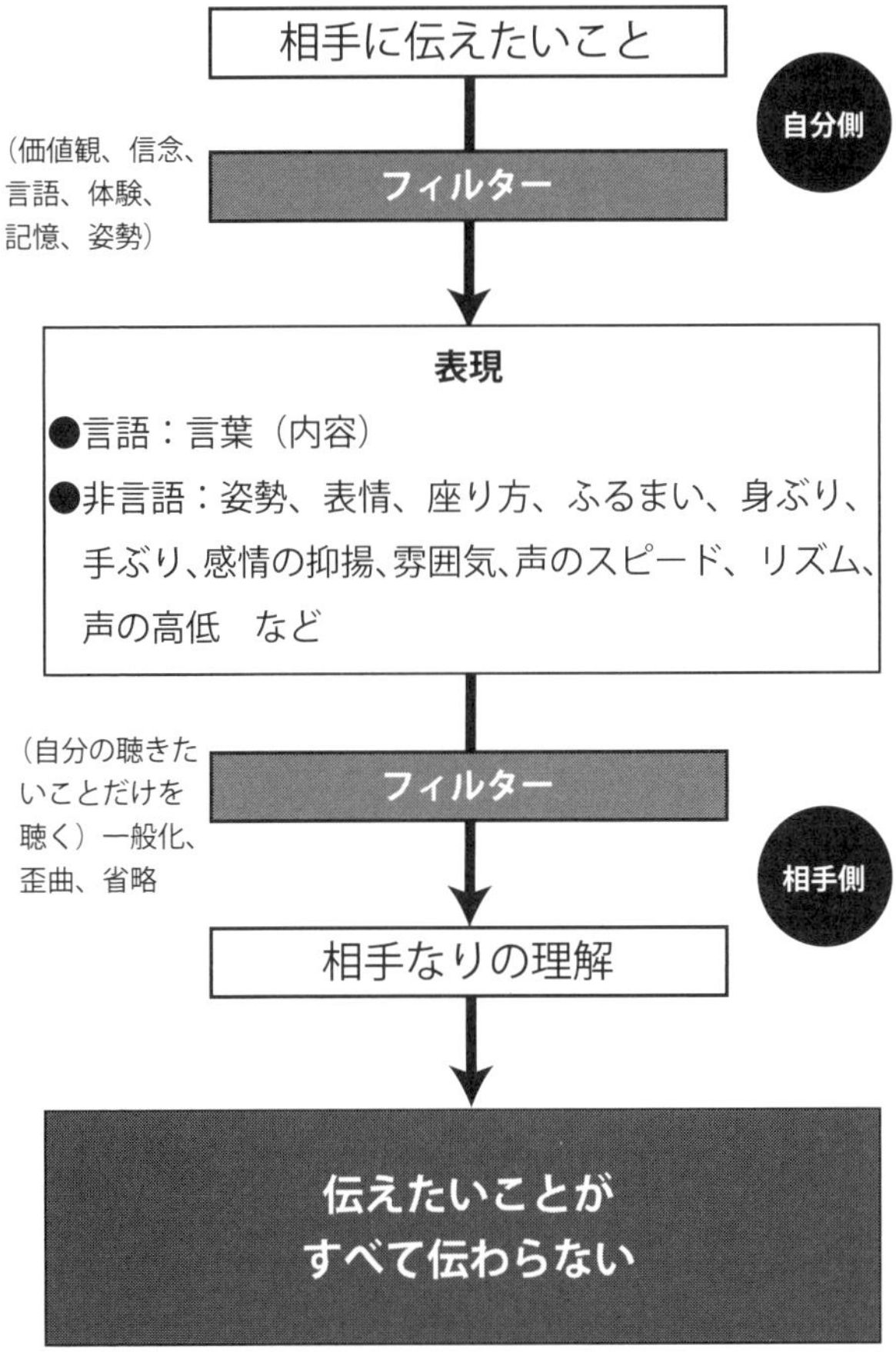

HQCC の C2 級資格を取得する
（くわしくは第 5 章にあります）

ど）に書いたものを渡しても、すべてを理解してやってくれるものではありません。もしやってくれたとしても、私が期待する通りのものになるとは限りません。しかも、そこには悪意はなく、みんな良かれと思ってやっているのです。

新しいことの定着も大変ですし、間違ってついてしまった習慣を直すのはもっと難しい。それらを期待通りにしていくためには、経営計画書を作ってその通りに会社経営を進めていくしかありません。

今では松井産業には経営計画書のほかに、従業員用の「チャレンジシート」という実行計画書があります。月別、週別、日別に目標があり、達成できたかできなかったかを書き込んで仕事を進めるようにしています。

このような流れで、私たちの会社は「経営計画書」という武器を手にすることができ、その使い方をマスターするに至りました。ここから先は具体的な話になりますので、章を改めて話を進めることにしましょう。

【経営計画の3つの目】

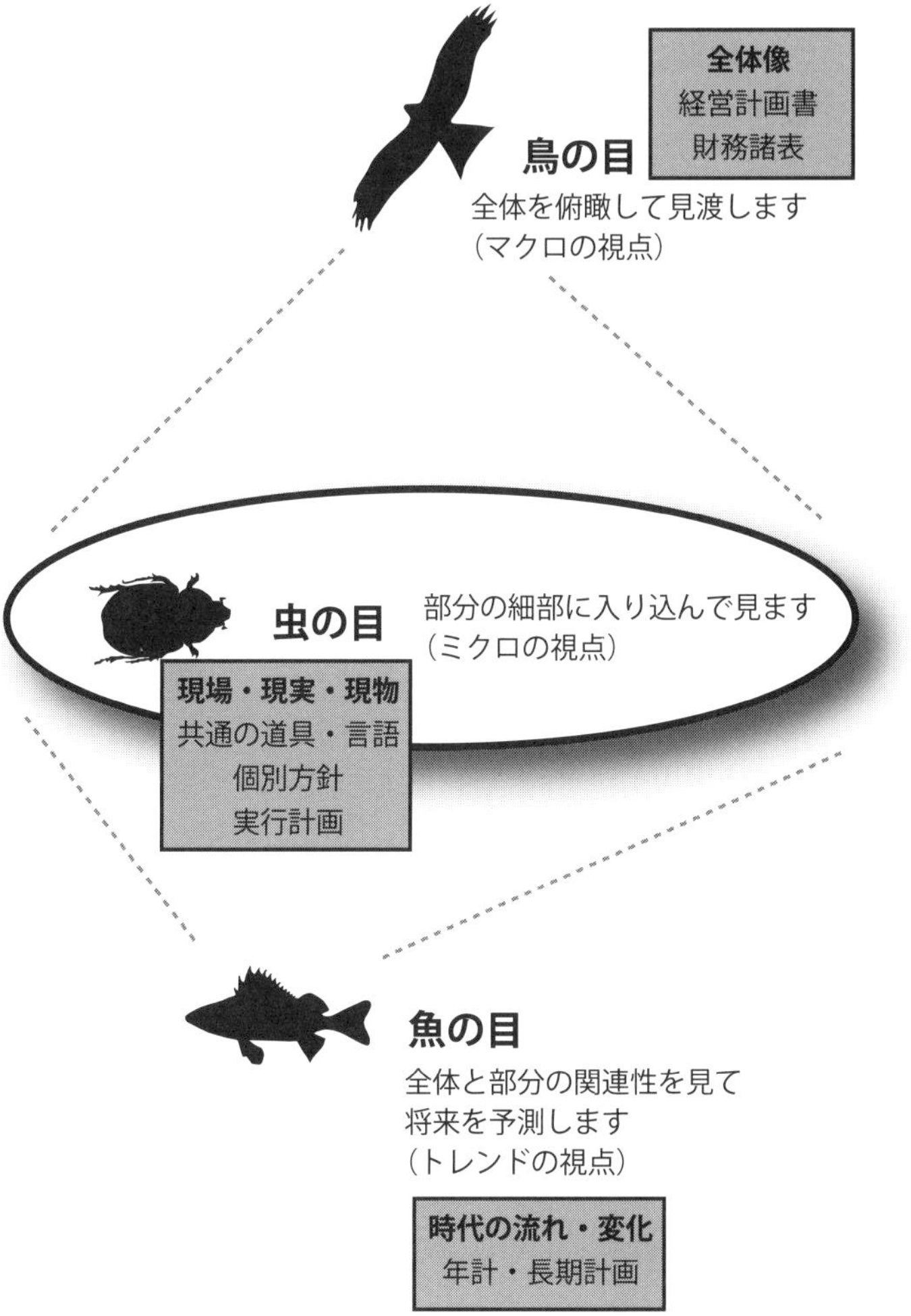
全体像
経営計画書
財務諸表
鳥の目
全体を俯瞰して見渡します
（マクロの視点）
虫の目
部分の細部に入り込んで見ます
（ミクロの視点）
現場・現実・現物
共通の道具・言語
個別方針
実行計画
魚の目
全体と部分の関連性を見て
将来を予測します
（トレンドの視点）
時代の流れ・変化
年計・長期計画

コラム1

「メタ・モデル」

人は言葉でコミュニケーションを行いますが、伝えたい概念を言葉に変えるとき、無意識のうちに情報の省略や歪曲、一般化が行われます。それによって多くの情報が失われるため、正確なコミュニケーションを図るには、何らかの方法で失われた情報を補う必要があります。

失われた情報を取り戻す方法のひとつとして、「メタ・モデル」というものが知られています。メタ・モデルとは、効果的な質問をすることで問題を解決するテクニックで、「誰が」「いつ」「どこで」「どのように」というようなさまざまな角度から質問をしていきます。

ただし、ここで「なぜ」という質問だけはしてはいけません。人間は「なぜ」と聞かれると、反射的に説明を考えてしまうものだからです。メタ・モデルの目的は理由を知ることではなく、あくまでも失われた情報を取り戻すことにあります。

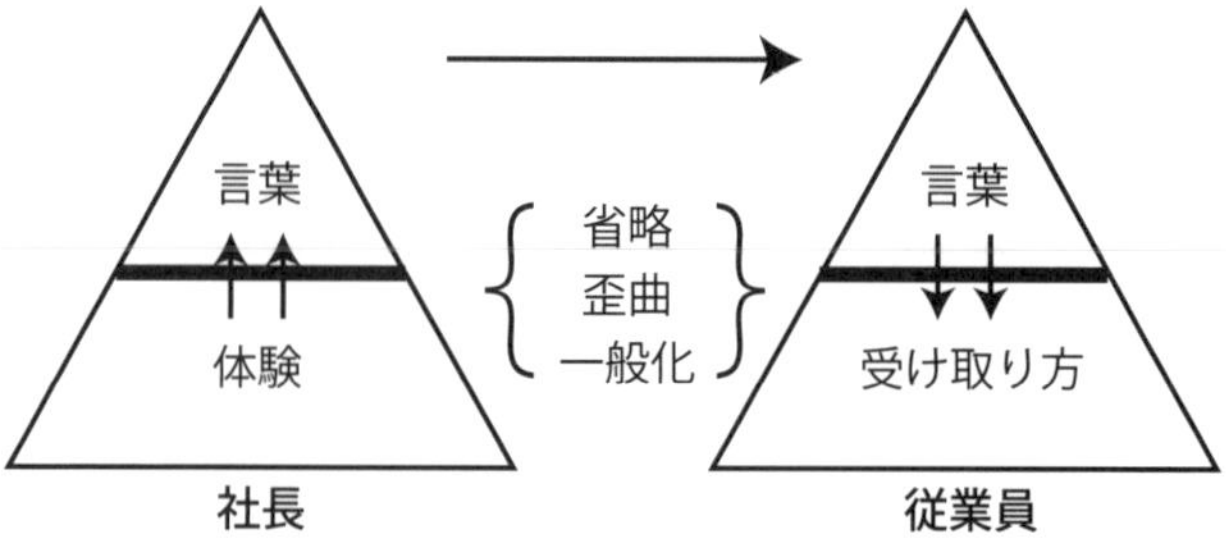

第2章
小規模企業と「標準化」

社長がいなくても回る会社にするために

第1章で私は「多くの小規模企業の経営者が、仕事はしっかりやっているものの、経営がおろそかになっている」と申し上げました。

たとえばある会社の社長さんは、お客さんからの注文を片端から受けてしまい、自分が手一杯になると今度は全部の注文を断ってしまうようなやり方をしていました。一生懸命に仕事をしているし、技術もある。でもそれではなかなか発展の芽ができません。

しかしこれはある意味、仕方のないことかもしれません。仕事は自社で先輩から教えてもらえますが、本格的な経営のやり方は自分から進んで勉強しないかぎり、教わることができないからです。そして社長さんたちは往々にして、仕事が回ってさえいれば、うまく経営ができていると思い込んでしまうものです。

そして毎日汗水垂らして仕事をし、さぼることもないのになぜかもうからないと思って

【小規模企業に必要なこと】

6 組織対策	3 客層対策	7 資金対策
2 エリア対策	経営の 8 大要素	4 営業対策
5 顧客対策	1 商品対策	8 時間対策

経営の 8 大要素

1. 商品対策…中心とする商品は何か。過去・現在・未来
2. エリア対策…どこのお客様に売るか
3. 客層対策…個人の家庭が対象か、企業が対象か
4. 営業対策…見込客をどうやって見つけるか
5. 顧客対策…リピーター客を逃さないための対策
6. 組織対策…上記を実行するための社内の人員及び役割分担
7. 資金対策…資金をどのように調達するか
8. 時間対策…以上の仕事を実行するための時間配分

いる。万が一、怪我や病気に見舞われると、たちまち経営危機。社長がいなければ回らない現場や、社長でしかうまくやれない取引先があるから、残った従業員だけではどうにもなりません。そうやって潰れてしまった会社は数え切れないほどあります。

そうならないためには、どうすればいいか。

それは、社長がいなくても回る会社を作ることです。

いちいち社長に確認しなくても、従業員たちが社長と同じように事業の目的を理解し、目標を共有し、その達成のために自分がやるべきことをきちんと把握しているようにする。そして標準化することです。さらに定着させることです。そういう会社にすればいいのです。

本書で私は、それができるようになるためのノウハウをすべてお伝えしていきますが、その前に、この章では小規模企業と「ＳＤＣＡ」について見ていくことにしましょう。

それにより、なぜ「経営計画書」が必要なのかがしっかりご理解いただけることと思い

【小規模企業の事業目標】

6 生産性	3 ヒト・モノ・カネ	7 社会的責任
2 イノベーション	事業目標の設定	4 マネージャーの 仕事とその育成
5 従業員の 仕事と行動	1 マーケティング (4P+4C)	8 利益

1. マーケティング…市場調査 (4P+4C)
2. イノベーション…改革・革新の方法
3. ヒト・モノ・カネ…資源はあるか、資金対策は
4. マネージャーの仕事とその育成…適性のある人材の選定と教育
5. 一般従業員の仕事と行動…従業員の配置と行動規範
6. 生産性…生産性があるか
7. 社会的責任…社会的責任があるか
8. 利益…利益が上がるのか

P・ドラッカー『マネジメント』より

ます。

「十人十色」ではなく「十人一色」に

「十人十色」という言葉があります。人にはそれぞれ個性があり、感じ方も違えば行動パターンも違うという意味ですが、組織はそれでは困ります。

たとえば社長が「明日までに見積書を作成するように」と伝えたとき、Aさんは「今晩中にやらなければ」と感じ、Bさんは「明日の始業までに用意しておこう」と考え、Cさんは「明日の昼ごろでいいかな」と思い、Dさんは「明日の終業時までだろう」と推測するかもしれません。それでは最大1日のタイムラグが生じてしまいます。

またある従業員がお客さんからの伝言を「手が空いているときに顔を出してほしい」と伝えたとします。Eさんは「すぐ行かなくちゃ」と思い、Fさんは「じゃあ午後の外回りのついでに回ってくるかな」と考え、Gさんは「今日と明日は忙しいから、来週行こう」と予定を決めるかもしれません。もしかするとその判断のために、商談がひとつ壊れてし

【従業員のコミュニケーションギャップ】

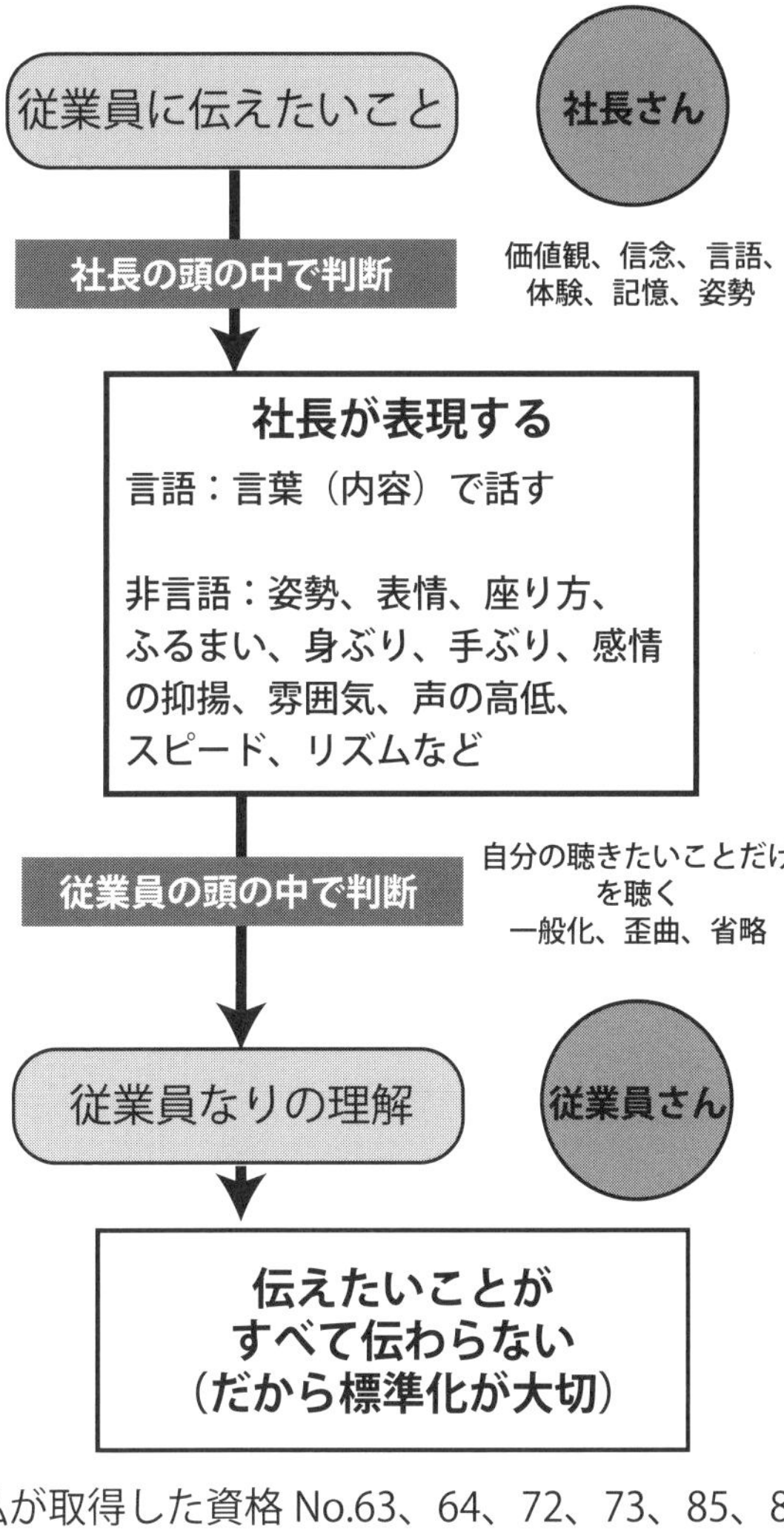

私が取得した資格 No.63、64、72、73、85、87参照

まう可能性もありますね。
わずか1件の〆切、ひとつの伝言でさえそうなる可能性があるのですから、複雑なビジネスの中では、従業員間のズレが致命的な事態を招きかねません。だからこそ、「部下には任せられない」と思ってしまう社長がいるわけです。でも、任せない限り会社はいつまで経っても成長しません。

第1章でご紹介した「経営計画書」は、そのズレをなくしてくれる道具です。そこに書いてあることを社長以下、社内の全員が理解して守ることにより、「誰がやっても同じプロセス、同じ結果になる」からです。

「経営計画書」に限らず、**仕事のプロセスはすべて明文化するべきです。**
書いて、残して、共有することで、誤解の生まれる余地が少なくなり、勝手な行動が減らせます。書いてないから、言葉で指示されていないから、個人個人が勝手に自分の感覚で判断してしまうのです。

そして従業員のズレをなくすことは、会社に強みをもたらすことでもあります。なぜな

【標準化とは何か】

HQCC の Q4 級資格

標準化

製造工程や仕事のやり方について基準となる「標準」を定め、活用すること。

社内標準

製品やサービスの品質を保つため、企業が作成し採用する標準のこと。以下の要件が必要となる。

1. 関係者が実行可能である
2. 内容が関係者に周知されている
3. 常に維持・管理されている
4. トラブルの対処法が明記されている
5. 他の社内標準と整合性がとれている
6. 国内規格、国際規格、法律などに抵触しない

社内標準のマニュアル

組織の役割や仕事のやり方を定め、誰でも実行可能なことが具体的に書かれた文書のこと。

1. 手順が明確に書かれている
2. 内容が具体的で曖昧でない
3. 重要なポイントが示されている
4. 図表などを適宜利用して見やすい

ら、「誰に頼んでも同じ対応をしてくれる会社」は、従業員がバラバラな同業他社と比較して、間違いなくお客様の信頼を勝ち取ることができるからです。

小規模企業に必要なのは「業務の標準化」

「ではわが社も早速、人財磨きを始めよう」と思われた社長さん、ちょっと待ってください。その前にぜひやっておかなければならないことがあるので、まずそれをご説明します。
それは「業務の標準化」（ＳＤＣＡ）です。

先ほど、「十人十色」という小見出しの項目で、「従業員間のズレ」をいくつかの例とともにお話しししました。そこでは、そのズレは「経営計画書」によって解消できると申し上げましたが、正確にいうと**「経営計画書」以前に「業務の標準化」によって解消しておくべき**なのです。

「業務の標準化」とは、「これがわが社の商品、サービスだ」ということについて、それを実現するすべてのプロセスを明文化し、「これはこういうことです」と決めておくこと

【業務の標準化】

業務を標準化する目的

1. 人によって業務に差が出ることの排除
2. 業務効率を向上させる
3. 業務品質を向上させ、安定させる

社内標準マニュアルの作成

1. 守りやすい内容
2. 内容が実行可能
3. 使いやすい体裁と形式
4. 常に更新が行われている
5. 標準化のノウハウが蓄積されている

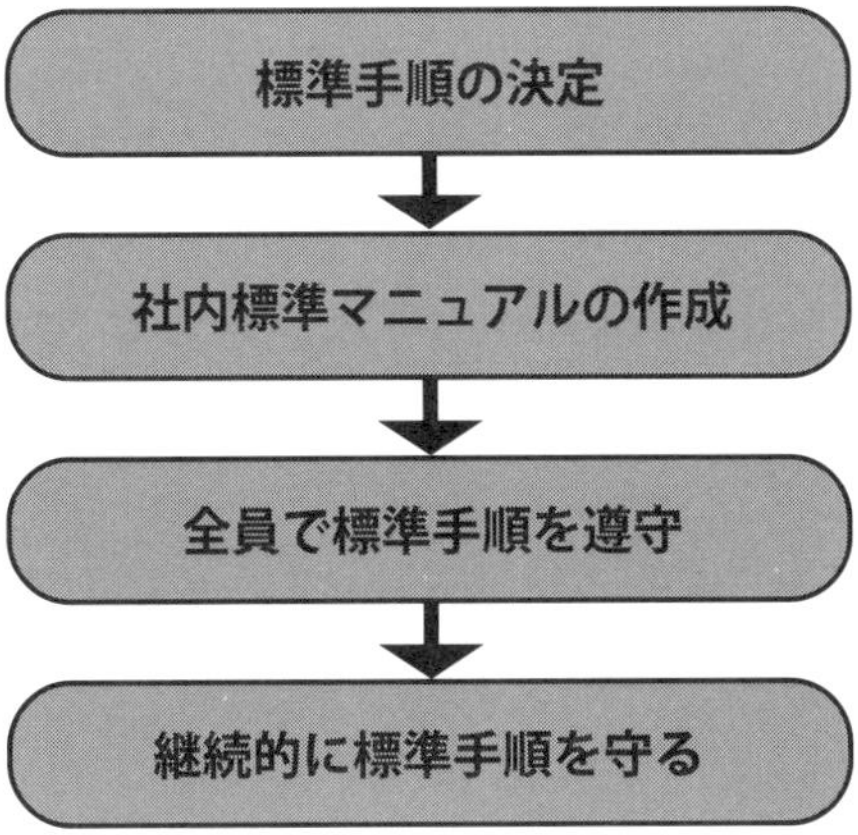

です。

たとえば喫茶店でコーヒーを出す場合、どんなブランドの豆を選び、どのように焙煎し、どんなふうに挽いて、どのような器具でどんな方法で抽出するかを事細かくレシピ化し、どこかにマニュアルとして置いておかないと、従業員によって、あるいはその日の気分によってコーヒーの味が変わってしまいます。それではお客様は安心してコーヒーを注文することはできません。

通りすがりで、ただ喉が渇いたからと立ち寄ったお客様なら問題はないかもしれませんが、業務の標準化ができていない店では、常連客をつかむのは簡単ではないと思います。

人で差別化するためには、**その前に業務の標準化がなされていなければなりません**。それができていてはじめて、誰がやっても同じサービス、同じ商品を提供する基盤が用意できるわけです。

つまり、「何をするか」が厳密に定められているからこそ、優れた人財による均一な仕事が提供できるといえます。そのための仕組みづくりが、「経営計画書」ということになります。

【2つのサイクルでスパイラルアップ】

PDCAサイクルとは

問題解決の計画（P）にもとづき実行(D)、評価（C）を経て改善（A）を行うこと

SDCAサイクルとは

標準（S）にもとづき業務を実行(D)し、評価（C）を経て改善（A）を行うこと

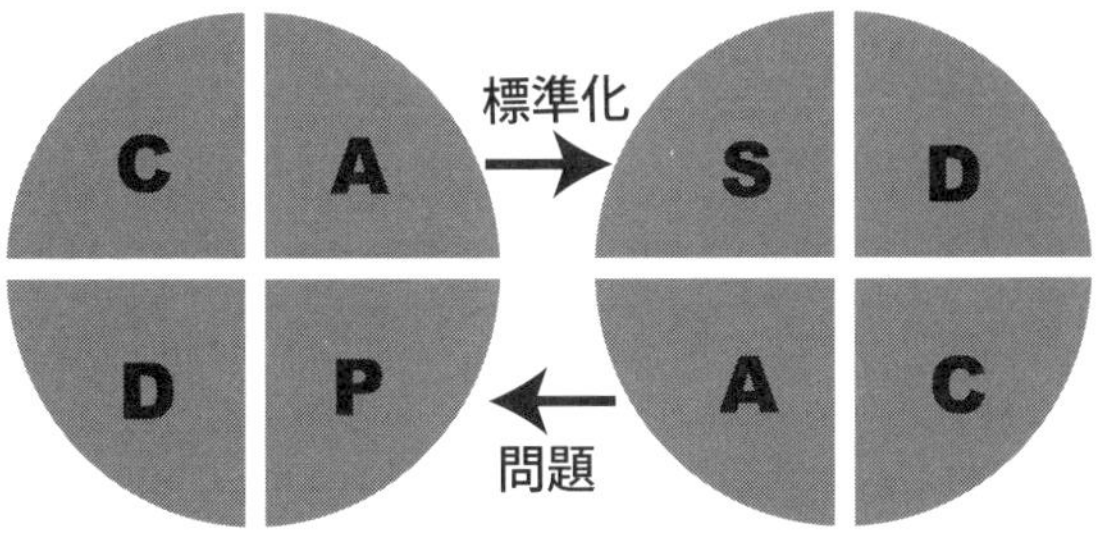

計画：P（Plan）
実行：D（Do）
評価：C（Check）
改善：A（Action）

「職場を良くする」とは、
・職場で問題が発生したら、原因を追求して再発防止策を施す
・常にPDCAサイクルを回し、スパイラルアップを図る

標準：S（Standard）
実行：D（Do）
評価：C（Check）
改善：A（Action）

「標準にもとづく」とは、
・職場の規定、マニュアルにもとづいて業務を遂行
・いつもと違う状態が発生したら、決められた通りに処理

PDCAの前にSDCA

皆さんは「ＰＤＣＡサイクル」という言葉をご存じだと思います。「プラン（計画）」「ドゥ（実行）」「チェック（評価）」「アクション（改善）」の4つの段階を繰り返すことによって業務を継続的に改善する手法です。

最初のプランの段階では、従来の実績や将来の予測などをもとに業務計画を作成します。次に計画にしたがって業務を行うドゥの段階に移ります。そして行った業務の実行が計画に沿っているかどうかを評価するチェックを行います。最後に実行が計画に沿っていない部分を調べて改善をするアクションの段階に入ります。

この1サイクルがひとつの単位となり、最後のアクションが次のプランにつながって、全体が前に進みます。らせん状に進化していくイメージです。

このＰＤＣＡサイクルは品質管理の代表的手法といわれ、日本の高度経済成長期には多くの企業で競って導入されました。ＩＳＯ９００１、ＩＳＯ１４００１などの国際的な品

【小規模企業のSDCAサイクル】

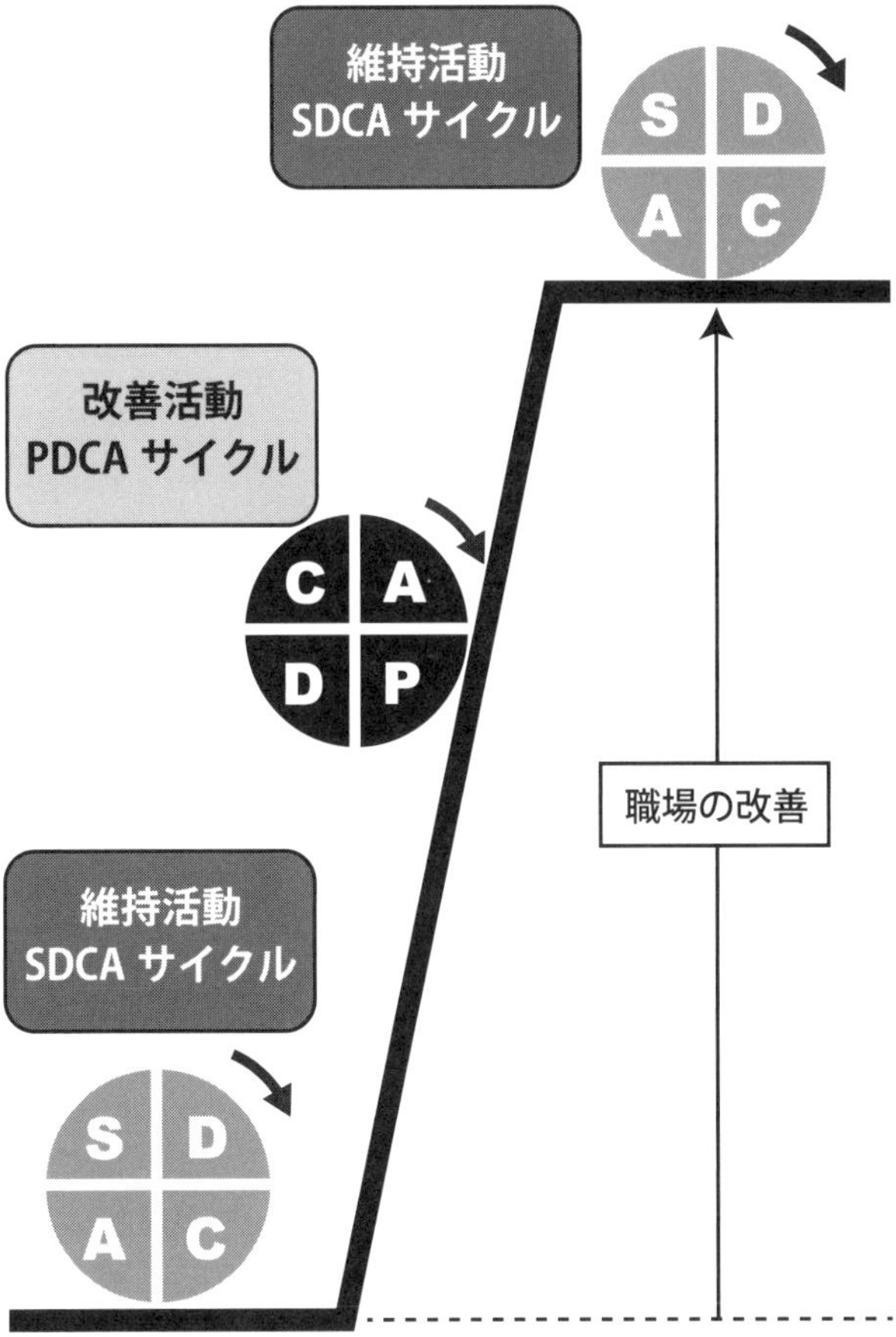

「SDCAサイクル」と「PDCAサイクル」を使って「現状レベルの仕事」から「より高いレベルの仕事」を実現します。

質管理システムでも用いられている考え方です。

ＰＤＣＡはよくご存じでも、ＳＤＣＡは初めて聞いたという人が少なくありません。ＳＤＣＡの「Ｓ」は、標準化（Standardize）を意味し、誰がやっても、いつやっても同じ方法で作業や業務が行うことのできる仕組みを作ることです。あとのＤＣＡはＰＤＣＡと同じです。

ＳＤＣＡのサイクルは、**「標準化」「実行」「評価」「改善」の４段階で構成されます**。このサイクルを回すことで標準化された業務が成果に定着されていきます。そのためＰＤＣＡサイクルは改善活動を担当し、ＳＤＣＡサイクルは維持管理を担当するといわれます。

小規模企業の業務改善においては、まずＳＤＣＡサイクルで均一化させた仕事を定着させ、それからＰＤＣＡサイクルを使ってレベルアップを図る。その繰り返しで前に進んでいくべきだと私は考えています。

すなわち、ＰＤＣＡサイクルとＳＤＣＡサイクルは小規模企業にとって前進のための両輪なのです。

【社内標準の運用】

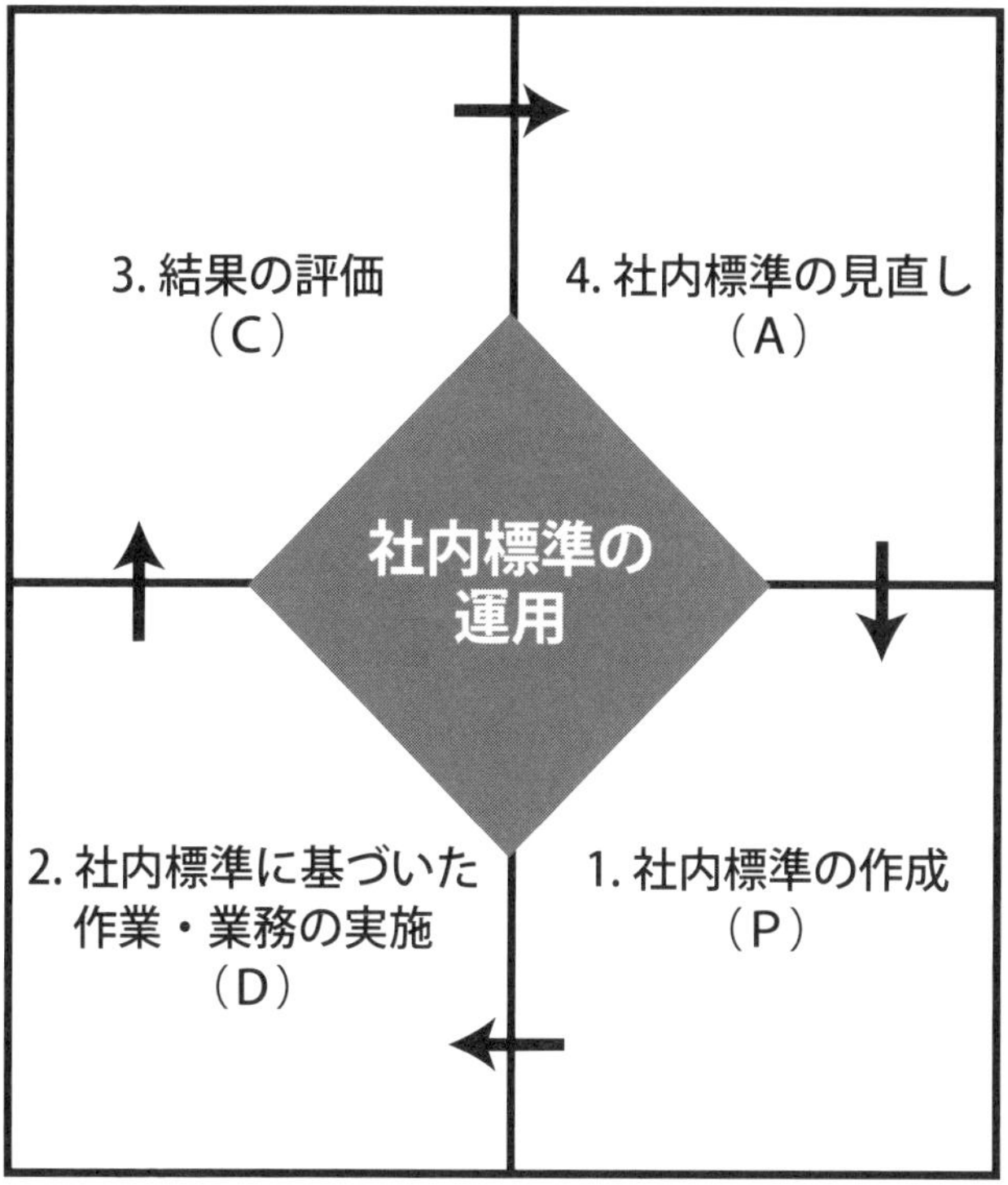
3. 結果の評価
（C）
4. 社内標準の見直し
（A）
社内標準の
運用
2. 社内標準に基づいた
作業・業務の実施
（D）
1. 社内標準の作成
（P）

小規模企業はどこで「差別化」すればよいか

資本主義経済は競争の世界ですから、勝ち残るためにはお客様に選んでいただくための差別化のポイントを持っていなければなりません。たとえば製造業なら、製品の品質や性能、価格などが問われると思います。

しかし、小規模企業の場合、製品やサービスで大きな違いを生み出すことが困難であることが多いようです。よほど特殊な技術やノウハウを持っていない限り、同業他社に大きな差をつけることができず、「たまたま同じ町内だから」とか、「昔から頼んでいるから」という理由で受注できているだけだったりします。

それでは状況が変わった場合に仕事を失う可能性が高くなってしまいますから、何か差別化のポイントを作る必要が出てきます。でも技術やノウハウで一朝一夕に他を圧倒するものを持つのは難しいでしょう。ではどうするか。

答えはひとつしかありません。技術やノウハウ、製品で差をつけることができないなら、

【差別化のポイント】

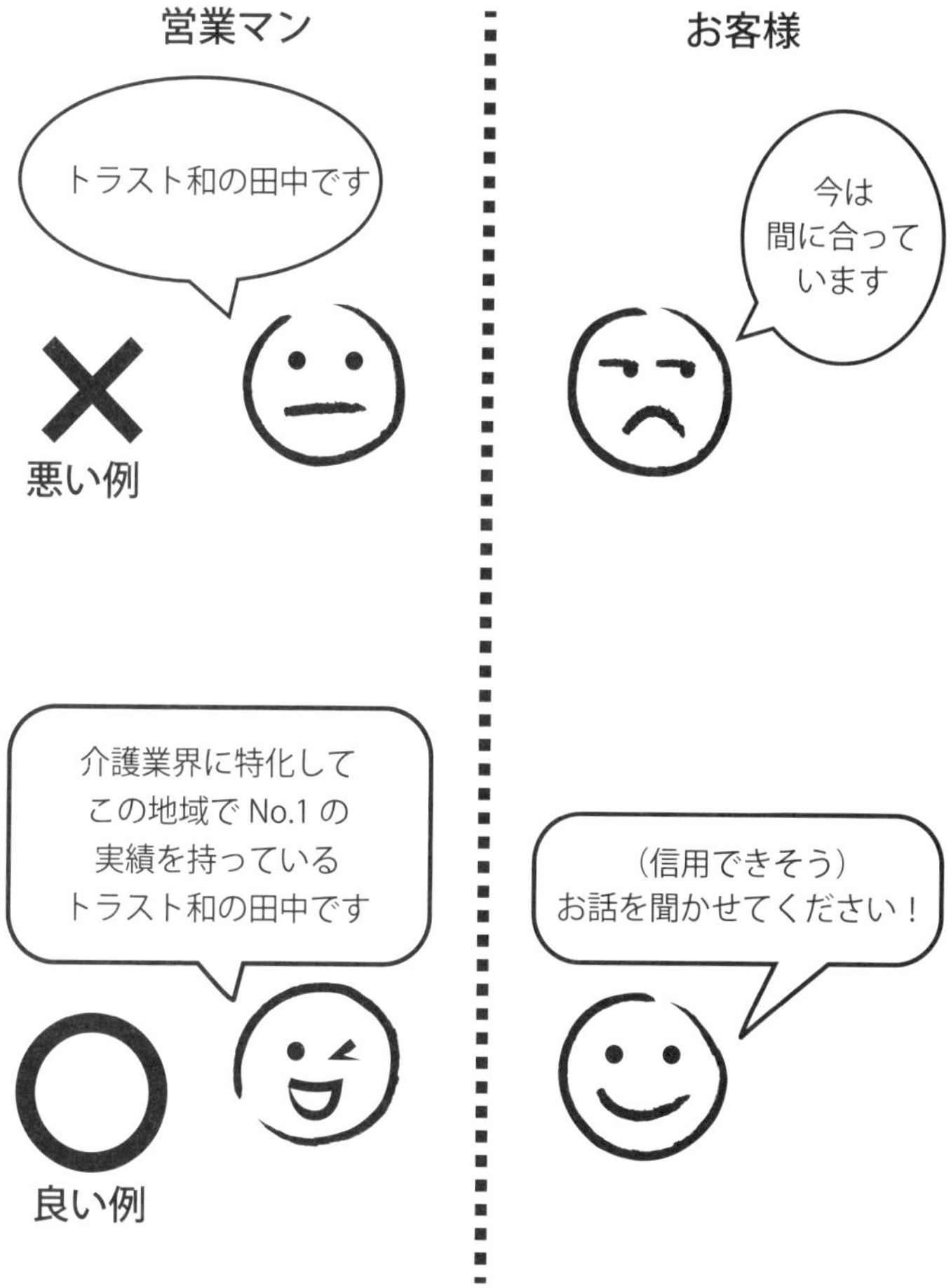

差別化戦略は、「一点集中」と「No.1 戦略」を組み合わせます。「〜に特化して」と「〜で No.1 です」のトークによって「ここが他者と違います」という差別化を実現します。

サービスで差別化すればよいのです。サービスは人が提供するものですから、「わが社は他社よりすぐれた人財を擁しています」と宣言できるようになることです。そうなれば、「あの人に頼みたい」とファンになってくれる顧客が増えていくはずです。

そこに気づかない会社は、つい値段の競争に走ってしまいます。しかし体力のある大企業と違い、小規模企業には価格競争に投入する資金がそれほど多くありませんから、最後は規模の勝負になり、大きいところに負けてしまいます。

ただし、「人で差をつける」といっても、聖人君子を探して雇うわけにはいきませんから、今いる人財を磨いていくしかありません。

私の会社では、創業当時から「信用第一」というポリシーを掲げていたため、お客様への対応は昔からやかましく教えていました。それを身に付けるために、朝礼も以前から徹底していました。

「経営計画書」を導入してからは、さらに「人で差をつける」ための活動に磨きがかかりました。日本ホスピタリティ検定協会が主催する「ホスピタリティ検定」において、50名の従業員が3級に合格するまでになったのです。今では、新卒の内定者も入社前に受験す

【小規模企業は挨拶・返事・掃除で差別化】

おはようございます！
あ、
おはよう
ございます
挨拶

朝の挨拶は先手で人より先に

田中くん、ちょっと…
はい！
返事

打てば響く「はい！」の返事を

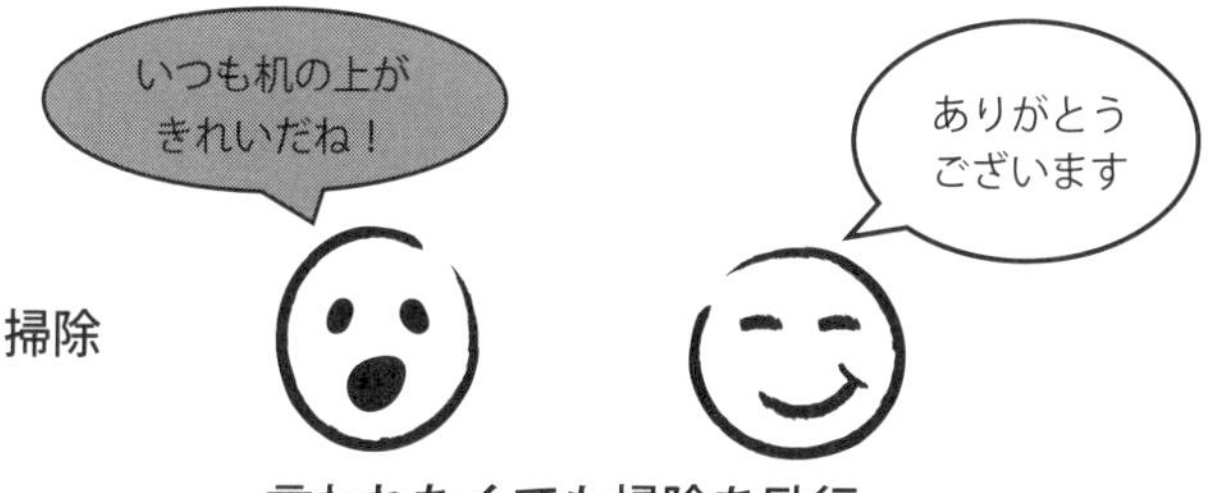
いつも机の上が
きれいだね！
ありがとう
ございます
掃除

言われなくても掃除を励行

「当たり前」のことを徹底してやり抜くことで差別化する。
HQCC でライバルに勝つ（HQCC の H3 級資格、C5 級資格）

るようになりました。

ホスピタリティ3級は、社会人として公共の場やビジネスの現場でホスピタリティを発揮し、相手の立場に立った対応をするための基本的な能力があると認められた資格です。わが社では従業員がこれを取得することで、ホスピタリティに関する価値観の統一が向上しています。

「目標」は延長線上には置かない

社内の価値観が統一され、みんなの意識が揃ってくると、いよいよ社長の掲げる「目標」に現実味が出てきます。それまでは掲げられた目標を他人事のように感じていた従業員の皆さんが、自分自身の目標として意識するようになるからです。

このとき大事なのは、「現状の10%アップ」のような現在の延長線上に見える数字を目標にしないことです。私の会社の場合を例に挙げましょう。

私は社長就任と同時に「経営計画書」を導入し、会社の成長目標を「5年で2倍」としました。そしてその数字を経営計画書に書き入れ、全従業員共通の目標としたのです。

【小規模企業の繁栄】

企業目的・目標

経営理念
企業目的・社是・社訓

洋々のロマン

ビジョン
時流の変化・外部状況の変化を分析し、遠くを考える。

自社の分析と問題把握
決算書が読めること
（分析と現状認識）

堂々の陣

どうなりたいか
時流・循環的景気に対応した戦略・戦術・戦闘

ヒト・モノ・カネのバランスとレベルの高さ

外部戦略
一番づくり

ドメイン、ターゲット、提供価値、バリューチェーン

商売レベル（儲かる戦略）
儲かるように現状に創意工夫をする

事業レベル（拡大成長戦略）
アンゾフの法則に従って業種の水平変化する（多店化・多角化）

企業レベル（安定継続戦略）
時流の変化に合わせて自社の改革創造をする

内部戦略
一体制づくり

ナレッジデータベースを作る

商売レベル
指示　命令
によるモチベート

事業レベル
給与規定とお祭り制度での報酬制度によるモチベート

企業レベル
自己完成欲求の充足。自ら考え行動するPM型

財務戦略
安心づくり

安全性、生産性、収益性、成長性

商売レベル
丼勘定で金儲けに奔走する

事業レベル
経理の充実を図り、借入と資金運用に奔走する

企業レベル
経営管理部のB/S管理により資産蓄積・資本充実を図る

経営革新計画で100年企業

じつのところ、その数字にはさしたる根拠はありませんでした。ただ、1割アップとか10％アップとかではつまらないと思ったのです。できるかできないかわからなかったけれども、挑戦してみようと考えてその数字を掲げました。

10％アップ程度なら、現状の業務をもう少し効率アップさせ、全体的に少し頑張ることで、何とか達成できそうな気がします。それではダメなのです。

2倍にするためには、絶対に何か新しいことをやらなければなりません。新規事業を始めるか、今までの業務のやり方を劇的に変えるか。そうしない限り、今までと同じようなことをやっていても2倍になどなるはずがないのです。

私が選択したのは、業務のやり方を変える方法でした。

それまでわが社は不動産、注文住宅、リフォーム、土地活用の各部門の営業が、それぞれよその部署の仕事をやっても同じ評価をするということにしていました。会社として売上が上がればそれでいいという考え方でした。

私はそれを改め、他部署の営業を行って成果を上げても、同じ評価はしないと通達しました。それぞれの部署が自分の部署に全力を尽くしてもらうほうが、全社的に成績が上がるだろうと考えたからです。

【売上20%アップで利益200%アップ】

（単位　百万円）

				試①		試②		試③		試④	
項目		目標		目標売上×1.2		内部費用減少		利益4倍増		損益分岐点	
売上高		1,000	100%	1,200	100%	1,000	100%	2,000	100%	800	100%
付加価値		400	40%	480	40%	400	40%	800	40%	320	40%
内部費用	人件費	160		160							
	経費	120		120							
	減価償却費	20		20							
	計	300		300		270		450		300	
営業利益		100		180		130		350		20	
営業外収益		10		10		10		10			
営業外費用		30		30		30		30			
経常利益		**80**	8%	**160**		110		330		0	

試①では売上高が1.2倍になると、経常利益が2倍になります（80→160）
試②では内部費用が270になると、経常利益は110になります（80→110）
試③では売上高が2倍になると、経常利益は4倍になります（80→330）
試④では売上高が0.8倍、経常利益はなくなります（80→0）
付加価値（粗利益）は、価格が増加し、客数が増加、仕入れが減少した場合に増加します

※一倉定著『増収増益戦略』を参考に著者が手を加えて作成

コラム２

「省略・歪曲・一般化」

コラム１でふれたように、人は概念を言葉に変えて相手に伝えようとするとき、無意識のうちに省略、歪曲、一般化を行い、情報の多くの部分を失ってしまいます。

省略とは、伝えようとする概念のある部分にだけ焦点を当てて、他の部分を除外することです。それにより、自分が強調したい情報が強く伝わりますが、他の情報は失われます。

歪曲とは、現実を歪めて表現することで、ある種のフィルターを通したように情報の伝わり方にムラが出てしまうことです。

一般化とは、ごく一部の例をさも全体であるかのように表現することです。

メタ・モデルで失われた情報を取り戻すときには、この省略・歪曲・一般化に関する質問をすると効果的です。

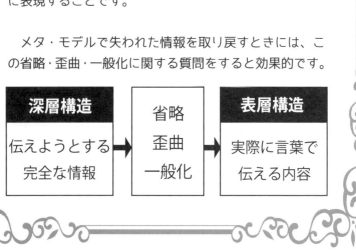

第3章
「もうかる会社」にする計画の作り方

【一倉先生の教え 1〜3】

会社の真の支配者は、お客様である。

社長の定位置は社長室ではない。
お客様のところである。

市場の全ての要求を満たそうとすると、
全ての要求を満たせなくなる。
お客様が望むのは、
全ての品が揃っていることではなく、
自分の買いたい品が豊富に
揃っていることである。

『一倉定の経営心得』より

【一倉先生の教え 4〜6】

市場を多角化するということは、どのような会社にとっても優れた企業構造の一つの型である。

環境整備こそ、全ての活動の原点である。

電信柱が高いのも、郵便ポストが赤いのも社長の責任である。

『一倉定の経営心得』より

【一倉先生の教え 7〜9】

クレーム自体の責任は追及しないが、クレームを報告しない責任と指示したクレーム対策を直ちに実行しない責任は追及せよ。

ハンコとギンコーは大丈夫か。

「小さな市場で大きな占有率」こそ、優良会社になる近道である。

『一倉定の経営心得』より

【一倉先生の教え 10〜12】

社長の蛇口訪問一回は、セールスマンの訪問の百回に勝る。

顧客訪問の目的は、売り込みではない。顧客の確保である。

会社は借金ではつぶれない。支払手形のみが会社をつぶす危険のある唯一の資金調達法である。

『一倉定の経営心得』より

【一倉先生の教え 13〜15】

どんな優れた商品でも、斜陽化してゆくことは避けられない。

開発部門は独立させ、社長直轄とせよ。

企業内に良好な人間関係が維持されているということは、革新が行われていない実証である。

『一倉定の経営心得』より

【一倉先生の教え 16～17】

口頭による指令は忘れられ、
文章による指令は守られる。

「社長は何をしたらいいか…」を
見つけだす最良の方法は、
経営計画を自ら立てることである。

『一倉定の経営心得』より

それでは、私の会社が平成4年度に制定した28ページの経営計画書を見ていただきながら、実際の経営計画書の作り方を説明していくことにします。

私はこの経営計画書の作り方を、日本経営合理化協会の社長専門コンサルタントである一倉定先生から教わりました。一倉先生は「事業経営の成否は社長次第で決まる」という信念をお持ちの情熱的な指導者です。

徹底した現場実践主義とお客様第一主義で知られ、受講する社長をまるで小学生のように叱り飛ばすことで有名でした。一倉先生に教えを受けた経営者は、5000人以上といわれています。

始めたら少なくとも5年間は継続すること

次に経営計画書作成の具体的作業になりますが、ここで皆さまに約束していただきたいことがあります。それは、いったん経営計画書の作成を始めたら、少なくとも5年は続けてほしいということです。

一倉先生はこのようにおっしゃっておられました。

平成4年度に制定した最初の経営計画書。

「まず1年やってみて効果が得られなかったとしても、決してあきらめてはいけません。経営者が少しでもその効果に疑問を持ったとしたら、それが従業員に伝わります」

そして私はその言葉をひたすら信じて、経営計画書を毎年作り続け、今年で28年目になります。第1回目の経営計画書はわずか28ページでしたが、今年のそれは170ページに大きく進化しました。

私たちはこれを常に手許に置き、朝礼やセミナー、職場だけでなく、自宅にも持ち帰り、明日の仕事の準備や心構えなどのスケジュール管理、備忘録にも役立てています。もっと詳しく言いますと、1年間の行事やイベントの日程が記されているので、「業務遂行のバイブル」と言っても過言でないくらい身近なツールになっているのです。

前の章で述べたように、100年続く企業は一代で完了するものではありません。平たく言えば親子三代以上にわたって事業を継承することになります。まさに、「継続こそ真の経営力」ということです。

経営計画書は、従業員全員が同じ方向を目指すための、ベクトル合わせの重要なツール

【一倉定先生の教え 18】

経営計画書は、社員の心に革命を
もたらし、会社に奇跡をもたらす
「魔法の書」である。

『一倉定の経営心得』より

一倉先生によれば、「経営計画書をつくり、これを発表した途端に会社が変わってしまう」という。社員が抱いている未来への不安が取り除かれるからである。

でもあります。私たちの事業は、同じ品質を同じ仕様で確実に仕上げることで、お客様の信頼をいただき、継続していくことができます。ですから、私たちにとって経営計画書は事業繁栄のための中心的なツールなのです。

しかしながら、本書を初めてお読みになるみなさんは、一足飛びに完璧な経営計画書を求める必要はありません。また、それを実行しようとしても非常な困難が伴うでしょう。それでは、私がみなさんに経営計画書をおすすめする意味がありません。

そこで私が提案したいのは、私たちが最初に作った28ページの経営計画書を真似していただくことです。一倉先生もこうおっしゃっておられました。

「君たちが最初から作れるほど容易なノウハウではない。真似から始めていいのだ」と。

前置きが長くなりましたが、以下に私たちが最初に作った経営計画書を順を追って記しますので、まずはご自身の事業に合うような言い回しに直して作ってみてください。

経営計画書

もくじ

社是と社訓

前ページの目次を見ておわかりのように、最初のページには「スローガン」と「社是・社訓」があります。これは一倉先生から教わった順番の通りで、「まず最初に『社是・社訓』を掲げなさい」と言われました。

みなさんの会社の中には、まだ明文化された社是・社訓が存在しないところもあるかもしれません。それでも経営者である社長さんの頭の中には、なんとなく「わが社はこういう会社だ」「わが社はこういうところを目指したい」といった思いがあると思います。どこか成功している会社の社是・社訓を見て、その思いに近いところがあれば、それを真似して作ってもいいし、とりあえずは空欄にしておいて、いずれしっかりと考えて制定されてもいいと思います。

松井産業の場合は、幸いなことに先人の手によって社是・社訓が作ってありました。1922年（大正11年）の創業以来、社内で口ぐせのように言われていたことを、私の父

幸福を創造する
マツイグループ

社是

一、顧客に奉仕すること

一、社会に貢献すること

一、会社を繁栄させること

社訓

一、誠実と責任感

一、信念と実行力

一、明朗と団結

〈1〉

が文章にしたものです。

まず一番目にお客様第一主義を掲げ、次に社会に必要とされる会社であることを掲げています。そして堅実な経営による会社の繁栄を通じて、従業員の生活を安定させ、お客様と地域社会の繁栄を目指すことを掲げています。

社是とは、その会社の理念、考え方、価値観です。それに対して、社訓は行動のあり方を示します。社是と社訓は「考え方と行動」を示すものです。

最初の経営計画書には、その社是・社訓に加えて、スローガンとして「幸福を創造するマツイグループ」という言葉を入れました。

心構えを言葉にして表現する

次のページにあるのが「経営計画発表にあたり」という私の言葉です。

これは、「これから1年間はこうやるぞ」という私の考えを従業員に周知徹底するためのものです。

今期経営計画発表にあたり

この経営計画書は、大変きびしい市場の中で、我社の存続と発展のために、どうしても私達ひとりひとりがやらなければならない、**お客様に対する姿勢**と、我社を運営する私の考え方と心がまえをまとめたものです。

私達の生活の糧は、すべてお客様からいただいております。だから私達の日常のすべての行動は、**お客様第一主義**に徹しきっていかなければなりません。もちろんここに書きあらわしたことはそのことであり、我社が生き残り、ひたすらに発展し、**私達ひとりひとりとその家族の皆さんが、より豊かで、明るく、楽しい生活を営んでいくための必要最少限度のことです。**

ここに書かれた目標達成、方針の実行にあたっては、いろいろな障害や困難が当然立ちはだかってくるだろうことを充分予測しております。

だが、そうしたことを承知の上で、可能性を信じ、**皆さんにお願いいたします。**

何事も言葉にするのは必要なことで、言葉にして発しないかぎり、いくら自分の心に強く念じていても、周囲にわかってもらうことはできません。理解してもらわないかぎり、みんなの力をそろえることはできませんから、これはどうしても必要な項目だと思います。

といっても、ゼロから作文するのでは時間がかかってしまいますから、私の文章を参考にしていただいても結構ですし、どこからか参考になる文章を持ってきて、それをご自分の言葉に直してもよろしいでしょう。

この経営計画書に書いてある**目標の達成に関するすべての責任は、方針をたてた社長一人にあります。**この方針に対する**実施の責任は社員の皆さんにあります。**

方針は実行されなければなんにもなりません。**方針の実施は皆さんが主役です。**

目標を達成するために、きめたことを即、実行に移し、粘り強く、最後の詰めまでやります。

方針違反や方針不実施は、徹底的にその責任を追及することになります。

私は目標実現のために、ただひたすら精進して、**お客様第一主義**に徹します。

また、**クレーム処理**に万全を期し、**環境整備**に挑戦し、つねにお客様を**定期訪問**して、たえず前向きに、積極的経営を推進することをここに誓います。

代表取締役社長　松井孝司

〈2〉

倫理法人会と「万人幸福の栞」

そして3ページ目に「万人幸福の栞《しおり》」という項目が入っています。これは私どもにおいてバイブル的な存在の本の目次をそのまま持ってきたものです。

といっても、ほとんどの人にとっては何が何だかわからないでしょう。これは「倫理法人会」という経営者の心を磨く会で読んでいる教科書です。倫理法人会は全国に7万社の会員があり、約700か所の拠点で週に1回、早朝に集まってこの本を読んだり、会員の体験談を聞いたりしています。

要するに大人の道徳の授業みたいなものです。実際にここに入会して勉強を始めたら、家庭内の不和が解消し、会社の業績が大きく伸びたという人がたくさんいます。

このページについては、省略してもよろしいでしょうし、経営の原点におけるバイブル的な本や、座右の銘があれば、それを掲載するのもいいでしょう。

万人幸福の栞《しおり》

1. 今日は最良の一日《いちじつ》、今は無二の好機

2. 苦難は幸福の門

3. 運命は自らまねき、境遇は自ら造る

4. 人は鏡、万象《ばんしょう》はわが師

5. 夫婦は一対の反射鏡

6. 子は親の心を実演する名優である

7. 肉体は精神の象徴、病気は生活の赤信号

8. 明朗は健康の父、愛和は幸福の母

9. 約束を違《たが》えれば、己の幸いを捨て他人《ひと》の福を奪う

10. 働きは最上の喜び

11. 物はこれを生かす人に集まる

12. 得《う》るは捨つるにあり

13. 本《もと》を忘れず、末を乱さず

14. 希望は心の太陽である

15. 信ずれば成り、憂えれば崩れる

16. 己を尊び人に及ぼす

17. 人生は神の演劇、その主役は己自身である

〈3〉

社長みずからの決意表明

次にある「社長の決意」は、前のページの文章をスローガン化したものであると同時に、社是・社訓を違う角度から表現したものです。

そして同時に、社長のあり方を規定し、社長みずからを縛る文言でもあります。

私はこの5つの決意を書くときに、これから事業をやっていく上での、最も基本的な考え方に絞って箇条書きしました。やはり松井産業の過去から続いてきたポリシーである「お客様第一主義」を筆頭に掲げ、次の3つは普通の会社経営者なら誰でも考えていることを掲げました。

特徴的なのは5番目だと思います。ここだけとても具体的な行動規定が書いてあります。

「一年中お客様定期訪問を実施します」。

これはもう、ほかのどのアクションよりも前に、これだけは必ずやるんだという決意の表れです。さすがにここに書いてあれば、これが優先的なことだと伝わるでしょう。

社長の決意

1. お客様第一主義に徹し、時代の要求を敏感にとらえ、お客様に満足していただける企業体質にします。

2. 我社を永久に存続、発展させます。

3. 高収益を確保できる事業構造をつくり、健全な企業成長を実現します。

4. 社員とその家族の生活の安定をはかります。

5. 一年中お客様定期訪問を実施します。

〈4〉

経営目標には実現可能な数字を入れる

次のページには「経営目標」ということで、目標とする数字を掲げます。ここで大事なのは、楽々達成できそうな数字や、とても無理な数字を掲げるのではなく、少し背伸びをしなければ届かない数字にすることです。

ここには目標売上と目標利益がありますが、大切なのは「利益」のほうです。まず目標とする利益の金額を決め、そこからそれを達成するのに必要な売上高を計算して表記しています。

なぜそうなのかは、その下にある「利益とは」という説明でおわかりと思います。これは要するに、私たちは何のために稼ぐのかということを改めて具体的に解説したもので、これを明確にしておくことで、従業員さんの意思統一を図っています。

利益がないと、お客様の要望をかなえることができません。設備投資ができませんし、ボーナスも払えませんから、お客様への適正なサービスができませんし、従業員さんの家族も幸せにできません。そういう観点から、当たり前と思えるようなことを5つ書いて、従業員さんと共有しています。

今期経営目標

目標売上高	○○億円
不動産目標手数料	○億○万円
建設目標売上高	○○億円
目標経常利益	○億○万円

【利益とは】

1. 利益とは、お客様に正しいサービスができる素です。

2. 利益とは、社員と家族の幸せを計る素です。

3. 利益とは、会社を安定させ、存続繁栄させる素です。

4. 利益とは、社会に奉仕・貢献できる素です。

5. 利益とは、活気と意欲を生み出す素です。

〈5〉

「基本方針」は社是・社訓から導かれる

次の「基本方針」は、一倉定先生の指導にしたがって制定しました。「最低限この3つを基本方針にしなさい」と研修で言われたのですが、それがわが社の社訓に合っていたので、そのまま掲げています。

私たちの場合は一倉先生から示された見本と、自分たちが以前から守っていた社是・社訓が一致していたのでそのまま使えましたが、本来の「基本方針」とは、社是・社訓から自然に導かれるものである必要があります。そうでなければ、会社の行動原理にぶれが生じてしまいます。

ですから、みなさんが「基本方針」を制定する際には、自社の社是・社訓との整合性をよく吟味して考えることをおすすめします。

この基本方針には、後のページにそれぞれ詳しい解説がついていて、よく読むことで誤解なく松井産業の経営が理解できるようになっています。

基本方針

〔1〕 お客様第一主義

〔2〕 環境整備

〔3〕 クレーム処理の徹底

個別方針

〔1〕 お客様に関する方針

〔2〕 環境整備に関する方針

〔3〕 商品に関する方針

〔4〕 施工に関する方針

〔5〕 得意先様（施主）に関する方針

〔6〕 内部体勢に関する方針

〈6〉

お客様第一主義

最初の「お客様第一主義」は、松井産業に元からあった考えですから、まったく自然に導入できました。（1）から（6）までの箇条書きで説明していますが、「お客様がすべて」「お客様の要求を満たすことがつとめ」「真の支配者はお客様」「お客様の要望を満たすことはめんどうくさいのがあたりまえ」「社内を混乱させても実行する」「お客様は『今』を評価する」「お客様にとって良い会社とは要求を満たしてくれる会社のこと」というように、かなり強烈な本音が書かれています。このくらいの言い方をしないと、すべての従業員さんにお客様第一主義を伝えることはできないと考えたからです。

世の中にはいろいろと「残念なサービス」が見られますが、そのほとんどがお客様の要望を最優先にせず、自社の都合や従業員の事情を優先させていることから発生しています。最後の（6）にあるように、良い会社とはお客様の要求を満たしてくれる会社ですから、競争に勝ち残るためには自社の都合や従業員の事情は捨てなければなりません。

こういう基本的なことは、ストレートな表現で何度も伝える必要があると思います。

基本方針〔1〕お客様第一主義

(1) **お客様は我社のすべて**であり、我社はお客様の意志によってのみ生かされます。**お客様の要求を満たすこと**が我社のつとめです。

(2) 社内にはお客様の自由はあっても、**私達の自由はありません**。我社の真の支配者はお客様です。

(3) お客様の要求を満たすことは、**めんどうくさく、手間と時間がかかり、お金がかかりムリ難題が多いのがあたりまえ**です。

(4) お客様の要求を満たすためには、**お客様の都合にあわせ、**我社の事情は一切考えず、**あえて社内を混乱させても実行**します。

(5) お客様は過去の実績では買ってくれません。**「今日、只今」の商品・サービス**で評価されます。

(6) お客様から見て良い会社とは、お客様自身の要求を満たしてくれる会社です。

〈7〉

環境整備

次の「環境整備」というのは、製造業などでよく耳にする「5S」のことです。整理、整頓、清掃、清潔、しつけの頭文字をとったもので、これができていない職場はいい仕事ができません。私たちは製造業ではないので、5Sの代わりに礼儀、規律、清潔、整頓、安全、衛生の6つを掲げることにしました。

環境整備は従業員教育に直結しているといわれます。ということは、会社におけるすべての活動の原点といえます。なぜ従業員教育に直結しているのかというと、環境整備を徹底するという形から入ることで、一人ひとりの心が磨かれていくからです。

環境整備については(1)から(7)までに分けて解説してあります。

(1)は環境整備の定義です。

(2)では環境整備が毎日の積み重ねであること、全員参加でやり遂げるべきものであることを宣言しています。

基本方針〔2〕環境整備

（1）環境整備とは、**礼儀・規律・清潔・整頓・安全・衛生**の６つをいいます。

（2）環境整備は一朝一夕にできるものではありません。**毎日毎日少しずつでも確実に進めていって初めてできるもの**です。まさしく際限のない自分自身との闘いです。社長はもとより、全員参加でやりとげます。

（3）環境整備こそ私達の**すべての活動の原点**であり、お客様が気持ちよく、安心しておつきあいしていただける企業への仲間入りをする「カギ」です。

（4）**「古い」「狭い」**は恥ではありません。**「きたない」「だらしない」こそ恥**なのです。古いからこそ清潔に狭いからこそ整理整頓をします。

（5）職場をピカピカに磨き込みます。車をピカピカに磨き込みます。そうして**自分自身の「こころ」を磨き込みます。**

（6）お客様への真のサービスは、環境整備の「こころ」ができて、初めてできます。

（7）環境整備の範囲は、**周辺の道路、溝、ゴミ集積所**までおよびます。

「形」から入って「こころ」に至る。

〈8〉

（3）では環境整備がすべての活動の原点であることを示しています。

（4）では古くて狭いことが恥ではなく、汚くてだらしないことこそ恥であると指摘しています。古くても清潔であれば、狭くても整理整頓してあれば、胸を張ってお客様をおもてなしできると宣言しているわけです。

（5）では環境整備が心磨きであることを伝えています。

（6）では環境整備による心磨きがお客様へのサービスの原点であると言っています。

（7）では環境整備の範囲が自社だけでなく、周辺にまで及ぶものだと注意しています。

会社のまわりを掃除する理由が、ここに示されています。

クレーム処理の徹底

次の「クレーム処理の徹底」には、私自身の体験が生きています。

前にも触れましたが、私はこの経営計画書を作成するときに、肉屋から建築屋に職場が変わり、いきなりクレーム処理を担当しました。そのときに感じたことがここに書いてあるわけですが、私の考えだけではなく、一倉定先生の指導を参考にしています。

基本方針〔3〕クレーム処理の徹底

お客様の「満足と信頼」が得られないときにクレームが発生します。クレームは我社の「いたらない点」を指摘してくださる**「天の声」**です。クレーム処理が**おくれたり、悪い**と、いままでの信用を瞬時に失い、お客様は無言で去っていき、**無能者集団の烙印**がおされます。

1. クレーム処理の基本

(1) **クレーム処理は、すべての業務に優先します。**

(2) お客様に対しては**「申し訳ございません」**とお詫びをし、**絶対に「言い訳」をしません。**

(3) お客様に落度がある場合でも、いささかたりともお客様を責めてはならず、**ただひたすらお詫び**をします。

(4) クレーム処理にあたっては、**時間的・経済的損失は一切無視**します。

(5) クレーム処理には**全身全霊をもって**あたります。

(6) 最も大切なことは、**誠意ある謝罪と迅速な解決**です。

(7) クレーム処理の結果が良いと、お客様との関係はいままで以上に親密になります。

(8) クレームでご迷惑をおかけしたお客様に対しては、向こう3か月間、**訪問回数を増やします。**

〈9〉

ここに書かれていることは松井産業の基本姿勢で、この経営計画書を発表してから28年経ちますが、今でもほとんど変わっていません。

まず最初に掲げているのは、「クレーム処理はすべての業務に優先します」という項目です。ほかの仕事を止めてでもクレーム処理を先にやらなくてはならないと定めています。お客様第一主義が本当に理解できていれば、これをあえて書く必要はないのですが、まだわかっていない人のためにこれを掲げています。

それから、「絶対に言い訳をしない」「誠意ある謝罪と迅速な解決」といったクレーム処理の基本を記しています。そうしないと、人間は言い訳をし、必要な処理を後回しにしがちだからです。

さらに、お詫びの方法も明記してあります。原則として社長がお詫びに行き、不在のときは専務が、そして当然のことながら担当者もお詫びに行きます。

よく企業内でクレームが握りつぶされてしまうことがあるのは、責任を追及されたくないと従業員が思うからです。そのためここでは「クレーム発生の責任は一切追及しない」

2. クレームが発生したとき

（1）お客様からクレームの第一報を受けた者は、**「申し訳ございませんでした」**と心からお詫びをします。

（2）クレームは大小を問わず**即刻、社長に**細大もらさず**報告**します。

（3）報告は緊急の場合には口頭で行い、あとから報告書を書いて提出します。

（4）報告書は**「お客様が言われた通りに」**書いて社長に提出します。

（5）原則として社長は、即刻お客様のもとへお詫びにいきます。社長不在のときは、専務が即刻お詫びにいきます。担当者も同行します。

（6）**クレーム発生の責任は一切追及しません。**
聞いて忘れた、握りつぶしたなどの不報告や、報告が著しく遅れた場合、これを厳しく追及します。

（7）クレーム報告者とは、直接聞いたり、言われた全社員です。

（8）クレームの内容と処理の結果は朝礼で発表し、二度と同じことを繰り返さないよう周知徹底します。

（9）クレーム報告書は**「天の声綴」**とし、社長がファイルして、活用します。

〈10〉

と明言してあります。

その代わり、クレーム発生の報告や伝達が遅れた場合は厳しく追及することにしています。こうすることで、発生したクレームがすみやかに社内全体に共有できるようになります。

また、「クレームの内容と処理の結果は朝礼で発表し、二度と同じことを繰り返さないよう周知徹底します」とありますが、これは実際に今でも行っていることです。

必要があれば社長の行動も縛る

ここから先は「個別方針」となります。いわゆる各論ですね。

最初は「お客様第一主義」ですから、当然のことながらお客様に関する方針です。

改めて明記しているのは、「社内にはお客様はいない」ということです。世の中には上役の顔色をうかがって仕事をしているような人もいますが、上役はお客様ではありません。

私自身がこの経営計画書を作成していて一番抵抗があったのが、(7)の「社長は週に2日以上会社にいてはいけない」という部分です。こう書いてあって、私が何かの都合で

何よりも大切な言葉

ありがとう

感謝

毎日の生活の中で、良いことがあったときも、悪いことがあったときも、いつも変わらず感謝の気持ちを忘れない。これはむずかしいけれども大切なことです。

苦難の時は、「成長の機会をいただきありがとう」と感謝し、幸運の時は、「なんとありがたい。自分にはもったいないことです」と感謝する。

いつでもそう思えるように、自分の心の中に感謝の受け皿を用意しておくことが大切です。それができれば、際限のない欲望に悩まされることもなく、「足るを知る」ことができ、いつでも満ち足りた心で生きていけます。

幸運の時も、苦難の時も、常に出会った運命に感謝しながら受け止めることです。辛い思いをしたとき、人は「なぜ自分だけがこんな目に遭うのか」と、否定的に考えがちです。しかし、幸運や苦難は、自分の心が作り出したものにすぎません。どんな時でも常に感謝の心を忘れずに「ありがとう」の気持ちで対処することが、人生を素晴らしいものにするための絶対条件といえます。

『松井産業心の言葉集』より

個別方針〔1〕お客様に関する方針

1. 基本姿勢

(1) **お客様は我社のすべてです。**

(2) お客様に常に**明るく接し、誠意をもって**要求を満たしていきます。

(3) お客様と**良き人間関係**を築き上げ、ただひたすらお客様の要求を満たすことに専念します。

(4) 社内にはお客さまはいません。社内からは１円の利益もありません。

(5) お客様の真の要求を見つけ出し、これを満たすまで、いままで以上に**訪問回数を増やし、**競合他社に勝ちます。

(6) 私達の給料は、社長はもとより全社員がお客様からいただいています。

(7) 社長は週に延べ２日以上会社にいることなく、**お客様訪問に全力を尽くします。**

(8) お客様に信頼と満足を提供できる姿勢が正しいサービスです。

(9) 正しいサービスを行わない限り、売上げと利益は上がりません。

(10) ただ単に値引して安売りすることは次元の低いサービスです。

(11) 我社の盛衰はお客様第一主義の実践度によってきまります。

(12) お客様の要求には**「ハイ、喜んで！」と感謝の気持ちで対応します。**

(13) **お客様の秘密を厳守します。**

〈11〉

3日会社にいたら、たちまち従業員から突き上げられてしまいます。なので入れたくはなかったのですが、一倉先生から「入れなさい」と厳しく言われ、記入しました。

次の「お客様に対して守るべきこと」では、具体的な項目を並べています。これらは読むと「当たり前」と思うかもしれませんが、日々お客様に接しているうちになおざりになってしまいがちな点を改めて指摘したものです。

従業員一人ひとりに「こんな感じでお客様と接していきたい」という気持ちがあっても、それがバラバラでは組織としての力になりません。お客様から見れば、従業員ごとに対応が違うことになり、サービスの均質化を図ることができなくなります。だからこそ、経営計画書にきちんと記しておくことが大切なのです。

特に最後の「親しくなっても礼儀正しく」は大事です。どんなに仲良くなることができても、お客様は友達や同僚ではないのですから。たとえお客様の側がそこを誤解したとしても、従業員の側は心の中できちんと一線を引いていなければなりません。

2. お客様に対して守るべきこと

(1) **イデオロギー（思想）、宗教、ひいきに絶対に触れません。「別にありません」**で通します。

(2) **絶対に言い訳しません。「誠に申し訳ございません」**とまず申し上げ、お客様に満足していただけるよう、誠心誠意努力します。

(3) **反論、議論は一切しません。「誠に申し訳ございません。私共の不行き届きでございました」**と、まず申し上げます。改めて、「ご説明申し上げます」と、ことばていねいにお話しします。

(4) **お客様の手落ちを絶対に責めません。**手落ちは、こちらでかぶります。**「私共のご案内不足で誠に申し訳ございませんでした。さっそく対応させていただきます」**とていねいに申し上げます。

(5) **教えてやる、やってやるという態度、言動をとりません。「ご説明申し上げます」「やらせていただきます」**と低い姿勢で対応します。

(6) **競争相手の悪口を言いません。**悪口を言うかわりに、我社の良いところ、**相手に負けないという自分の熱意のほどを謙虚にご説明します。**

(7)**約束の時間を守ります。**5分前を励行します。万一遅れる場合は、必ずご連絡します。

(8) **約束の内容を守ります。**期限を守ります。

(9) **わからないことは即答せず、後日、調べてご返事します。**

(10) **親しくなっても礼儀正しく応対します。**

〈12〉

環境整備も具体的な行動を明記する

個別方針の「2」は、環境整備に関する方針です。

まず礼儀について規定していますが、最初は挨拶です。「先手の挨拶」という言葉があるように、挨拶は自分から先にするのが礼儀です。相手より先、笑顔、明るく、大きな声で、はっきりと。これが挨拶の基本です。

そして3大挨拶は「ハイ」「ありがとうございます」「すみませんでした」。

お客様が会社にいらしたときは、立礼が基本です。松井産業ではこれを徹底していて、誰が社内にいらしても立ち上がって「いらっしゃいませ」と全員が挨拶します。

このとき、「あの人はお客様じゃない」などといった選別はしません。どなたであっても社内にいらした方はすべてがお客様だという判断基準です。

お客様がお帰りになる時も同じで、立礼で挨拶します。手の空いている従業員は、担当者に続いて駐車場までお客様をお見送りします。そういう態度の繰り返しが、会社に対する信頼を少しずつでも増していくのです。

個別方針〔2〕環境整備に関する方針

1. 礼儀

（1）挨拶は**相手よりも先に、笑顔で、明るく、大きな声で、ハッキリ語尾まで**言います。

（2）**「ハイ」「ありがとうございます」「すみませんでした」**は３大美語です。**「ハイ」**とはずんだ大きな声は好感をもたれ、自分も相手も、全体に活気をみなぎらせ、明るい雰囲気に包まれます。「ハイ」と力強く一度に１回です。

（3）お客様への挨拶の徹底は、社員同士の挨拶の徹底から始まります。社員同士の挨拶も、相手より先に、**明るく元気にハッキリと語尾を言います。**

（4）お客様が会社に来られたとき、**明るく元気にハッキリ**と、**「いらっしゃいませ」「いつもお世話になっております」「ありがとうございます」**と**立礼**で深く頭を下げます。ご来社される方はすべて**お客様**です。**全員が立礼で送迎します。**お客様がお帰りになるときも、同じようにします。

2. 規律

（1）決められたこと、約束したことは、**必ず守ります。指示、指令は即、実行します。**

（2）守ることは、**実施責任の原点です。**

（3）指示・指令・約束は守り、必ずやりとげて、失敗も成功も定められた**期限**までに発令者に報告します。**中間報告**もします。

〈13〉

「清潔」と「整頓」の項目では、掃除の仕方、整理の仕方が具体的に示されています。これが曖昧だと、個々の従業員の判断基準で行うようになり、徹底できません。

常にピカピカに磨き込みます
毎日磨き込みます
定期的に実施します
トイレを最も清潔なところとします
その場でゴミを拾い、その場で清潔にします
最低月に1回、車にワックスをかけます
物は水平、垂直、直角、直線、平行、頭ぞろえとします
書類、ファイルの置き場所を決め、整理ナンバーをつけ、リストを作ります

簡単に言えば「いつもきれいにしておけ」「いつも整理整頓しておけ」ということですが、それをできるだけ具体的な指示にすることが大事です。

松井産業のトイレには、掃除の仕方が壁に貼ってあります。単に「掃除をしなさい」ではなく、「こうしなさい」と定めることが「標準化」につながります。

3. 清潔

（1）会社業務に**不要なモノは、すべて捨てます。**

（2）会社業務に**必要なモノは、捨てません。**

（3）**ピカピカに磨き込みます。**

①机・床・電話機など裏側や内側まで、**常にピカピカ**に磨き込みます。

②ドアや窓ガラスなど、人の目に付きやすい所は**毎日磨き込みます。**共用部分、天井の蛍光灯、事務機器などは、**定期的に**実施します。

③**トイレをピカピカに磨き込み、最も清潔な所**とし、**我社の顔**とします。**「現場」**も同様にピカピカに磨き込みます。

④**ゴミが落ちていたらその場で拾い、床が汚れていたらその場で清潔にします。**

⑤清掃道具を揃えます。

⑥最低月１回、車に**ワックス**をかけます。

4. 整頓

物の置き場所と置き方を決めます。（倉庫、事務所、物置、書庫）

（1）不要なモノを捨てて、有益なスペースを生み出した上で、仕事に最も便利な物の置き場所と置き方を決めます。

（2）美しくする物の置き方は、**水平・垂直・直角・直線・平行・頭ぞろえ**とします。使った後は、**元に戻します。**

（3）終業時は、机の上を整頓して帰ります。

（4）事務書類、ファイルなどは、置き場所を決め、書庫に**整理ナンバー**を付け、リストをつくり、**すぐ取り出せるようにします。**

〈14〉

本書では「ＳＤＣＡ」というサイクルを維持活動の重要なツールとしています。「ＰＤＣＡ」についてはご存じの方が多いと思いますが、「Ｐ」を「標準化」の「Ｓ」に変えたものがＳＤＣＡです。

ただ「掃除をしなさい」と言うだけでは、言われた人のやり方になってしまいます。経営計画書を本気で作って会社を良くしたいと思うのであれば、この「標準化」を念頭に置く必要があります。

左の「実施とチェック」では、「チェックと採点は社長、環境整備委員会、安全委員会が行います」と定めています。「チェックは毎月１回、５日前後に社長が行います」とあり、実際にこの経営計画書を制定した当時は、その通りにやっていました。

ただし、その後に会社が大きくなったので、今では社長ではなく８人の委員が毎月第３金曜日に社内チェックをしています。８人の委員はメンバーチェンジをすることで、いずれは従業員のすべてがチェックに参加するように考えています。

最初に「社長が行う」と書いたのは、小規模企業の場合、何事も初めのうちは経営者が率先垂範で実行する必要があるからです。

5. 安全・衛生（安全はすべてに優先する）

(1) 安全帽、安全ぐつは、必着し、定められた服装で作業します。

(2) 毎日、現場の**安全チェック**を行い、危険な箇所はただちに直します。

(3) 煙草・溶接など火気には十分注意します。くわえ煙草は禁止します。喫煙所の指定をします。

(4) **安全講習会**を実施します。

(5) 事務所、現場に消火器を置き、定期点検を行います。

(6) **車の安全ベルトは必ず締めます。**

(7) **飲酒運転はしません。**

6. 実施とチェック

(1) 部署ごとをグループとし、それぞれに**リーダー**を決めます。

(2) **平面図を作り、責任の境界線を記入**します。

(3) 責任の境界線を目立たぬように引きます。引けない場所は「点」で**目印**をつけます。

(4) 責任の境界線までやればよいのではありません。**責任区分はラインの 1m 外側まで**とします。

(5) **安全パトロール**を月 1 回実施します。

(6) チェックと採点は**社長**、環境整備委員会、安全委員会が行います。（毎月 1 回）

(7) 環境整備の実績は、昇給・賞与査定の対象とします。

(8) 特にすぐれた実績のあった人は**別途表彰**します。

〈15〉

商品に関する方針は市場の定義から

個別方針の「3」は商品に関する方針です。

まず「快適な住空間をお客様にお届けする」というテーマが掲げられ、それに沿った商品群が規定されていきます。もちろん、これらの条項は会社の業務内容の変化に応じて毎年改定されていきます。

続けて市場の定義で、松井産業のテリトリーが「東京・埼玉・千葉」を中心とすることが宣言されています。「主戦場」を明らかにすることで、ずるずるとエリアを広げることなく、効率の良い資本、資源、人材の投入ができるようになります。

「経営計画書」のない企業の場合は、これらの項目は経営者の頭の中だけにあることが多く、従業員側からは自分たちの働く土俵が明確でないことがあります。「経営計画書」に明記することで、従業員がムダなく全力を出し切ることのできる環境が構築できます。

特に最後の「基本姿勢」は職場全体によく浸透させる必要があります。

個別方針〔3〕商品に関する方針

会社の売りモノは、**快適な住空間を、お客様におとどけする**ことです。ライバル他社に絶対負けない売りモノを磨いて、磨きぬいて、**品質でお客様に満足していただきます。**

1. 主力商品

(1) ヘルシーハウス・YESS 建築

(2) アパート・マンション・店舗

(3) 分譲住宅・注文住宅・倉庫

(4) 増築・改築・インテリア

(5) 仲介・土地

(6) アパート・マンション・倉庫・駐車場の管理

2. 市場

(1) 東京・埼玉・千葉を中心とします。

3. 支店を出し、拠点展開を計ります。

4. 基本姿勢

(1) お客様が言いたいコト、こうしたいと思うコトを「企画力」「表現力」「技術力」「情報力」をフルに使って具体化します。

(2) 工期は絶対に守る。何がなんでも徹夜してでも守り抜きます。

(3) 工期遅れはすべてをダメにします。一つでも守れないと、やがてすべてのお客様からソッポを向かれてしまいます。信用を失うのは一瞬です。

〈16〉

現場の環境整備が信頼を向上させる

個別方針の「4」は、施工に関する方針です。

私たちは工場で製品を作るのではなく、必ず現場でひとつずつ建物を作ります。したがって製造業が工場の環境整備を5Sで守るのであれば、私たちは現場の整理整頓、清掃を心がけなければなりません。

今では現場の環境整備はかなりできていますが、この経営計画書を制定したころは、あまりできていませんでした。仕方がないので、私の父親が軽トラックに乗って現場を回り、廃材やくずの撤去をやってくれていました。

その結果、松井産業の現場はきれいだと評判になりました。今より当時のほうが現場がきれいだったくらいです。

父は黙々と文句も言わずに現場をきれいにしてくれていました。当時は「やってくれて助かるなあ」と思っていましたが、今考えるとあれは父の遺言みたいなものです。黙々とやって見せていれば、いずれわかるだろうと。

個別方針〔4〕施工に関する方針

1. 環境整備を徹底します

(1) 機資材および廃材は、必ず置き場を決めてこれを表示し、置き場の管理責任者を決めます。

(2) 工事一段落ごとに、毎日必ず廃材・くずなどの撤去を行います。

(3) 毎日、作業終了時に作業場の後始末を行います。

(4) 公道私道などについては、通行の邪魔になるようなことはしません。

(5) 定められた服装をしていない作業員については、その監督者の責任を追及します。

(6) 実施基準は別に定める「環境整備に関する方針」によります。

2. 信頼度を向上させます

(1) 一工程ごとにお客様の意向・感想を承り、いやしくも「言ったがやってくれなかった」など施工上の不信感の起きないよう細心の注意をはらいます。

(2) 工事の進行予定については、綿密な打ち合わせと報告をし、お客様に工程の不安感を与えません。

(3) お客様から施工中、変更などのご要望や不信感・不安感の発言があった場合は、ただちに社長または担当役員に報告します。

〈17〉

「10年間は故障知らずの施工を目指します」という施工基準の定めは、クレームやトラブルを少なくするための基本です。

経営計画書にさまざまな項目があるということは、当時それだけトラブルがあったことの証拠です。お客様第一主義にしても、「言った言わない」のトラブルが頻発していたために、こちらが責任を負うという形をはっきりさせるためのものです。

できあがった製品を見て買うのは簡単ですが、住宅のようなまだ完成していないものを買っていただくのは簡単ではありません。

お客様は設計図を見てもそれが何を意味しているのかがわかりません。私たちは設計図を見れば立体的に完成した姿が見えるように脳ができていますが、お客様はそうではありません。

だから、私たちの仕事には技術力がもちろん必要ですが、コミュニケーション力のほうがもっと必要になります。そういう価値観がないと、いい商品を提供し続けることがむずかしくなります。

近隣災害と苦情に関しても明確な線引きがあります。「近隣の苦情を無視して作業を強行しない」「近隣に迷惑をかけない」というものです。

3. 施工基準

(1) 設計図書に基づいて施工するのはもちろんですが、別に定めたマニュアル「施工基準」は必ず守ります。

(2) 10年間は故障知らずの施工を目指します。

(3) 見積書に基づいた仕様で施工します。

4. 工事実施予算の方針

(1) 得意先別、工種別に別に定めた益率基準に基づき、予算書を作成します。

(2) 益率基準を満足するものは、誰が実施しても良く、基準を下回るものは社長決裁とします。

(3) **手抜き工事を絶対しません。**

(4) 細目については、別に定めた実施予算作成基準によります。

5. 安全に関する方針

(1) **安全帽**は必着し、定められた服装で作業します。

(2) 毎朝、工事着手前に現場の安全チェックを行い、危険な箇所はただちに直します。

(3) 煙草・溶接など**火気には充分注意し、くわえ煙草の禁止**と喫煙所の指定をします。

(4) 現場溶接など火気の散乱する作業の場合は、必ず**消火器**を準備します。

〈18〉

重要なのはその次にある言葉です。

「近隣の方も将来の見込客です。毎日ご挨拶を正しくし、近隣へご迷惑をかける恐れのある特別な作業の場合は、事前に作業内容をご説明し、了解を得て作業を行います」

伸びていく会社というのは、お客様がお客様を紹介してくださり、お客様のまわりの人がお客様になってくれる良循環ができています。お客様が新しいお客様を紹介してくれるようになれば、営業コストが劇的に下がり、ねずみ算式にお客様が増えていくことになります。

お客様がお客様を紹介してくださるためには、今の仕事でお客様に120％満足してもらわなければなりません。予想通りの仕事をしただけでは、お客様は満足するだけで終わってしまいます。

期待以上の仕事だったからこそ、お客様は感動し、自分の大切な人にその喜びを分けてあげたいと思うのです。そして、その様子を見ていた周囲の人が「自分も」と手を挙げてくださるのです。

(5) 作業の速度よりも**安全を優先**します。

(6) 異常気象時における安全への対応は、絶対に手落ちがあってはなりません。

(7) 安全パトロールを月 1 回実施します。

6. 近隣災害、苦情

(1) 近隣の苦情を無視して作業を強行しません。災害、苦情が発生した場合は、ただちに社長および役員に報告します。

(2) 現場の内外周辺は、常に環境整備を心がけ、近隣に迷惑をかけません。

(3) 近隣の方も将来の見込み客です。毎日ご挨拶を正しくし、近隣へ迷惑をかける恐れのある特別な作業の場合は、事前に作業内容をご説明し、了解を得て作業を行います。

〈19〉

得意先様に関する方針

個別方針の「5」は、得意先様つまりお客様に関することです。最初に、ちょっとびっくりするかもしれない内容があります。お客様をランク分類するという考え方です。

でもこれは、誰もが心の中で漠然とやっていることのはずです。以前からたびたびご注文をいただいているお客様と、今日初めてお会いしたお客様が同一ランクのはずはありません。それを明確化しようというのが「得意先様ランク分類」です。

ここでは、最重点得意先様、重点得意先様、安定得意先様、一般得意先様、認知の未購入者様、未認知の未購入者様の6つに分類しています。このランク分類に従って、定期訪問の頻度を決めていきます。

個別方針〔5〕 得意先様（施主）に関する方針

1. 得意先様ランク分類

（1） 最重点得意先様

①我社の受注額に大きな影響のある得意先様

②将来計画があり、他社に絶対荒らされてはならない得意先様

③3 か月以内に工事計画があり、特別な営業活動の必要な得意先様

（2） 重点得意先様

①6 か月以内に工事計画がある得意先様

②我社の受注額に影響のある得意先様

（3） 安定得意先様

①すでに実績があり、受注額の向上よりも、得意先様との関係の維持を重点とする得意先様

②1 年以内に計画のある得意先様

（4） 一般得意先様

①受注額が少ないが、将来計画のある得意先様

②営業に関する情報収集を主とする関係先様

（5） 認知の未購入者様

（6） 未認知の未購入者様

〈20〉

定期訪問に関する方針

次には、定期訪問に関することが定められています。

・必ず会わなければならない人を決める
・不在の場合はひと言添えた「置き名刺」をする
・用件がなければ滞在は5分以内
・引き留められたら用件が済むまで打ち合わせをする
・不必要な滞在は相手の時間を奪うこと

そして役職者のランク別訪問回数も定めてあり、さらにこの定めを3カ月ごとに見直す（4月、7月、10月）と表記しています。

こうして書いておくと、何となく「行かなくちゃ」と思っているうちに足が遠のいてしまうという事態を防ぐことができますし、お互いが「この通りにやっているかな」とチェックする機能も働きます。

2. 定期訪問に関する方針

（1）必ず会わなければならない人を決めます。

（2）相手様が不在の場合は必ず「置き名刺」をし、これにひと言書き込みを行います。

（3）特定の用件のない場合は、滞在時間は5分以内とします。
ただし相手様が引き止めた場合は、用件の済むまで打ち合わせします。

（4）不必要な滞在は、相手様の仕事の邪魔をしていることであり、嫌われる原因です。

（5）訪問日は曜日と時刻を決めてこれを守ります。

（6）施主様訪問は毎週1回以上訪問します。

3. 得意先様訪問基準

ランク分類	回数 / 月	回数 / 月	回数 / 月	人数
最重点得意先	1/3	1/2	2/1	
重点得意先	1/4	1/3	2/1	
安定得意先	1/6	1/4	1/2	
一般得意先	1/12	1/6	1/3	
認知の未購入	0	0	1/6	
未認知の未購入	0	0	0	

※3か月ごとに見直しを行います。（4月、7月、10月）

〈21〉

同様にして、定期アフターサービスについても訪問頻度を定め、ここに明記しています。営業担当者の定期アフターサービスは、完成後1カ月、3カ月、6カ月、1年、2年、3年、5年、10年です。

そして訪問日も決めてあり、毎月10日までの定めを守らなければなりません。さらに、1年目と2年目には自主的な定期検査を行うことにしてあります。

このような定期訪問に関して、「定期訪問カード」を作成し、社内で報告することも定めてあります。不動産部の営業担当者が月末までに翌月の定期アフターサービスの計画を作成し、建設部がそれに基づいて訪問、その結果を3日以内に営業担当者に報告しなければなりません。

そして営業担当者は毎月月末までに当月の定期アフターサービスの実績をとりまとめ、社長に報告することとなっています。

こうしてスケジュールを定め、誰が何をしなければならないかが明確化されていると、やるべきことがスムーズに運び、やったことの蓄積が後で利用できる形で残っていきます。この積み重ねが会社の財産になっていくのです。

4. 定期アフターサービスに関する方針

(1) 完成工事の定期訪問

①工事完成後、1か月、3か月、6か月、1年、2年、3年、5年、10年ごとに定期アフターサービスを行います。10年目は社長または営業担当役員が訪問します。

②定期アフターサービス訪問は、毎月10日までに行います。

③1年目、2年目は自主的な定期検査を行います。

(2) 定期訪問カードを作成、報告します

①不動産部は、毎月末日までに次月の定期アフターサービスの計画を作成します。

②建設部は、指示のあった定期アフターサービス先を訪問し、その結果を不動産部へ25日までに報告します。

③不動産部は、毎月28日までに、当月の定期アフターサービスの実績をとりまとめ、社長に報告します。

〈22〉

「お客様にサービスするための組織」を作る

個別方針の「6」は、内部体制に関する方針です。

ここで重要なのは、自分たちがやりやすいような組織を作るのではなく、あくまでもお客様第一主義を実現するための組織を作るということです。

ともすれば組織は次第に肥大化し、組織のための組織になり、会社の利益よりも部署の利益を重視するようになりがちです。それはお客様のためにはなりません。

そして、一度作った組織は何度でも修正・変更するということが謳《うた》われています。それは朝令暮改なのではなく、お客様のためによりすぐれたサービスを提供することが目的だからです。

「球は速くとれる者がとる」

「手のすいた者は忙しい者の仕事を手伝う」

という言葉は、どこまでもお客様第一主義を貫くための決意表明にほかなりません。

個別方針〔6〕 内部体勢に関する方針

〔基本姿勢〕

「お客様第一主義」に徹するため、お客様に便利で、お客様のお役に立つ内部体勢にします。

1. 組織に関する方針

（1）**すぐれた業績をあげられる組織**とします。マーケット（業界・お客様・商品）の変化に対応できる組織とします。

（2）**すぐれた「お客様サービス」ができる組織**をつくります。楽をすることを考えると「お客様不在」になります。ただひたすらお客様のために！

（3）お客様の要求を満たすために、組織そのものを修正・変更します。（野球はポジションが決まっているが、球は速くとれる者がとる）

（4）全社員、手のすいた者は忙しい者の仕事を手伝います。なわばり意識は捨てます。**我々は、ひとつです。**

〈23〉

次の「人事に関する方針」は、情実や縁故ではなく、会社として採用の条件を明確にして仲間を増やすための項目です。

・学業成績よりも健康、明朗さ、公明正大さを重視
・給与は地域モデル賃金の10％増し
・万能選手より特技のある人を重視
・悪平等ではなく実力主義、貢献主義で査定する
・経営計画書に忠実かどうかを評価の基準とする

このように評価基準を公開してあれば、誰もが納得して仕事に取り組むことができます。

そして、「教育・指導に関する方針」としては、「お客様から可愛がられる従業員を数多く育てる」ことが打ち出してあります。

そのためには、一人ひとりの従業員が高い技術力、営業力を身に付けなければなりません。これを実現するために、松井産業では資格取得を大々的に推奨しています。

2. 人事に関する方針

⑴ 採用

①学校の成績よりも健康体であることと、性格が明るく、公明正大であることを重視します。

②成績は全科目の良し悪しよりも、何かひとつでも得意科目や特技があるかどうかを重視します。

⑵ 給与

給与は、全員で努力し付加価値を上げ、その配分として獲得すべきものであります。地域モデル賃金の10%高を目標とします。

⑶ 実力主義

入社後の昇格、昇給、賞与の査定基準は、実力主義・貢献主義によるものとし、悪平等はさけます。

⑷ 評価

方針の実行度を基準とします。

3. 教育・指導に関する方針

お客様から可愛がられる社員を数多く育てます。我社のかけがいのない財産は、社員の皆さんです。ひとりひとりが、高い技術力・営業力を身につけてこそ、我社は発展します。

〈24〉

管理職に関する方針

次のページには「管理職に関する方針」が定められています。

どういう人が管理職にふさわしいか、管理職の仕事は何か、管理職は何をしなければならないかが書かれていて、管理職が自分自身をチェックしたり、周囲がその管理職を評価するときの基準になります。

昨今は企業のコンプライアンスに対する風当たりが強くなり、パワハラ、セクハラなど広い意味でのパワーハラスメントが注目されています。そのため管理職の部下に対する指導に手かせ、足かせが増えているといえます。

これからはそのようなことに十分な配慮をして、経営計画書に取り入れていくことが必要となるでしょう。

4. 管理職に関する方針

（1）管理職は、**社長の意図を実現する人**です。

（2）自ら仕事をやるだけではなく、**部下を動かして実現します。**

①部下が自分の意図通りの仕事をしているかを常に確かめます。

②部下の仕事のやり方はどうかを常に確かめます。

③**結果はどうか**を常に確かめ、悪ければ即、次の指示を出します。

（3）部下が方針、指令、規則違反をしたときは**その場で、人前で叱ります。**

①お客様の要求を満たすためには、**守らせることが当たり前です。**

②守らせることによって**部下を成長させます。何十回でも言い通します。**

③叱らなかったり、知らぬ振りをすることは、管理職の職責や報酬を自ら放棄したものと見なします。

（4）社内に**摩擦**が生ずることは、**成長発展の前提条件**です。

①人間関係論と責任権限論は、我社にとって無用です。

②やたら、部下（後輩）と迎合したり機嫌をとることは、部下の成長を止めてしまいます。部下と接するときは、**和して同ぜず**を旨とします。

（5）新しいことは上司が指示し、部下がします。

（6）例外事項は「上」からやります（クレーム処理・繰り返し作業以外・業務の混乱部分）。

（7）繰り返し作業は、上司が教えて部下がやります。

（8）**日常の繰り返し業務マニュアル**をつくり、部下に徹底指導します。

（9）方針書の一つ一つに対して、必ず**プロジェクト計画**をつくります。

（10）プロジェクト計画、マニュアルは、社長の承認を得て実行に移します。

①自らやってみせ、部下に引き継いでいき、必ず**定期チェック**します。

（11）指令は**文書**でします。

（12）**事あれば**、365日24時間勤務と心得ます。

〈25〉

総務部に関する方針

総務部に関する方針もあります。

総務部は全従業員が最も仕事に打ち込める体制を作る部門であり、全従業員に対するサービス部門であるからです。

とはいうものの、小規模企業には人事部、法務部といった専門部署がないことが多く、すべてが総務部の担当になる場合がよく見られます。これは松井産業も例外ではありません。

そのため、総務部には変化の早い常識や法規制などに対して常に鋭敏な感覚を磨いていくことが求められます。足りないところは弁護士や税理士、公認会計士など専門家とのコミュニケーションを密にして、他の部署の従業員から「優しい相談相手」と思ってもらえるようになることが大切です。

これにより、全従業員が総務部の役割と責任を知り、進んで協力する体制を作ることができます。

5. 総務部に関する方針

総務部は、全社員が最も仕事に打ち込める体制をつくる部門です。全社員に対するサービス部門でもあります。

いかなる場合でも、各部門の職場を調整し、我社の士気を高め、明るく働ける環境を創造します。全社員とその家族が、毎日明るく生活しているか、病気はしていないか、どのような生活をしているか、仕事に無理や支障をきたしていないか、たえず気をくばり、助け合い、幸福に仕事ができる場をつくります。

(1)「お客様第一主義」で運営します。

(2) 総務部は、我社の表玄関です。言動、行動に充分注意し、また、**機密事項が多いので、公正無私の姿勢で、エリを正して、プライドをもって取り組みます**。また、環境整備は、全社員の模範となるように努力します。

(3) 伝票とは、商取引を能率化するために、紙に書かれた現金です。「100 万円」と記載されていれば、100 万円の現金と同じです。取引業者様からの納品書や請求書は、大切に扱います。

(4) 社員の賃金や精算などお金に関することは、絶対にミスをしません。

(5) 社員の仮払金の精算は、使用後 5 日以内に精算します。

(6) 資金繰計画書は毎月 10 日まで、月次試算表は 10 日以内で、社長へ報告します。

(7) **入金については、建設・不動産の担当者と打ち合わせを密にして、**お約束の日に入金していただきます。当日、未入金の場合は、即刻担当に指示します。

(8) 最小限管理を目指します。**たえずむだはないかを考え、人員やお金を有効に活用します。**

〈26〉

方針の実施と徹底

最後は「方針の実施と徹底」です。

どんなに立派なことが書かれていても、実践しないことには文字通りの「絵に描いた餅」でしかありません。

実際に私が知る限り、経営計画書を作っても実行に移さずに終わってしまった会社がたくさんあります。中には倒産してしまったところもあります。

どんなに立派な家の設計図を作っても、実際に建築しなければそこに住むことはできません。設計図は家を建てなければただの紙だからです。

経営計画書も同じです。どれだけ汗をかいて立派な経営計画書を完成させたとしても、それが社長の机の引き出しに眠っていたのでは、何もしなかったことと大差ありません。

経営に関するいろいろなセミナーや勉強会がありますが、ともするとそこに参加しただけで何かが変わったかのような気分になってしまうことがあります。でもそれは錯覚に過

6. 方針の実施と徹底

（1）方針は守るまで、言い通します。妥協しません。

（2）方針を守ることに社長も上司も部下も先輩もありません。上も下もありません。

（3）**方針を守ることが当たり前でなければ、お客様の要求を満たせません。**

（4）方針・指令・規則違反は、直すまで叱ります。

（5）**次の違反は最も罪悪です。**

①いつも命令を守っているから１回くらいの違反は仕方がない。

②少しだけとか、この程度の違反だから仕方がない。

③同僚と同じ違反だから仕方がない。

（6）違反現場で注意しなかったり、知らぬ振りをすることは、我社の方針や指令を守らなくてもよいと、周りに教えているのと同じです。

（7）方針書は年２回（賞与の前月）**全員が自筆にて**指定用紙に書き写し、提出します。

（8）**社内の公の会議には必ず持参します。**

〈27〉

ぎません。学んだことを実際の行動に移し、それを習慣化して自分たちの意識を変えないと、何も手に入れることはできないのです。

本書を読んで「よし、経営計画書を作ろう！」と決意してくださったみなさんには、ぜひこのことを守っていただきたいと思います。

経営計画書は作ったら必ず実行し、会社が良くなったと実感できるまでは決してあきらめないでいただきたいと思います。

全従業員に経営計画書を守っていただくための方策がこのページの最後にあります。

・年2回（賞与の前月）全員が自筆にて指定用紙に書き写し、提出します

・社内の公の会議には必ず持参します

最初のうちは強制的な施策に対して抵抗があるかもしれませんが、続けていくうちに必ず結果が出ます。それは全従業員を幸せに導いてくれるはずです。

【一倉定先生の教え 19】

経営計画は社長の決意を表明したものであり、定期的な達成度チェックは、社長の執念の現れである。

『一倉定の経営心得』より

一倉先生によれば、「経営計画の実施については、定期的にチェックする必要がある」という。これをやらないと、目標が飾りものになってしまうからである。

【一倉先生の教え 20〜22】

事業計画とは、変転する市場と顧客の
要求を見極め、これに合わせて
わが社をつくりかえることである。

すぐれた企業は、
必ずすぐれたビジョンを持っている。

今日の事業の収益は赤字でない限り
社長にとって大した重要性はない。
大切なのは、あくまでも
会社の将来の収益なのである。

『一倉定の経営心得』より

【一倉先生の教え 23〜24】

社長は年単位でものを考える人である。年単位で何年も先を考えるのである。月単位でものを考えたら、何年も先のことなど考えられるものではない。

経営計画書を、必ず自らの手で書き上げることこそ、社長として絶対にやらなければならないことである。

『一倉定の経営心得』より

【一倉先生の教え 25～26】

目標はその通りいかないから
役に立たないのではなく、
その通りいかないからこそ
役に立つのである。

馬車で長旅をする時、
目的地に予定通りにつくためには、
「なぜ遅れたか」を考えても意味はない。
遅れをどう取り戻すか、
だけを考えればいい。

『一倉定の経営心得』より

【一倉先生の教え 27〜29】

事業は逆算である。

資金は、会社存続という面から見れば、損益に優先する。

バランスシートは事業経営の結果としてできあがるものでなく、社長の意思によって作り上げるものである。

『一倉定の経営心得』より

【一倉先生の教え 30〜31】

社員にまかせても良いような
新事業は、はじめから
「わが社の将来の収益」など
期待できない。

新たな収益をあげる最も早く、
確実な道は、
今ある商品の欠陥を見つけだし、
これを直すところにある。

『一倉定の経営心得』より

【一倉先生の教え 32〜34】

よい組織とは、優れた顧客サービスができ、競合他社と戦って勝てる組織である。

社長は、ムリを承知で社員に頼め。

社長が社内にいる限り、管理職は育たない。

『一倉定の経営心得』より

コラム3

「ニューロロジカル・レベル」

人が何か行動を起こすとき、その動機になるのが「価値観」です。そのため、価値観は他の人たちと目的を一致させることができるかどうかに大きな影響を与えます。そして人がコミュニケーションを図るとき、相手と価値観を共有したいという欲求が起こることが知られています。

人の意識をイメージするものに、「ニューロロジカル・レベル」というものがあります。これは人の意識を6段階のレベルであらわしたもので、下位から「環境レベル」「行動レベル」「能力レベル」「信念・価値観レベル」「自己認識レベル」「スピリチュアルレベル」となります。

ニューロロジカル・レベルにおいては、価値観は意識レベルの上位にあります。そして、人は意識レベルの上位にあるものが似ていると、相手に親近感を覚えるものです。

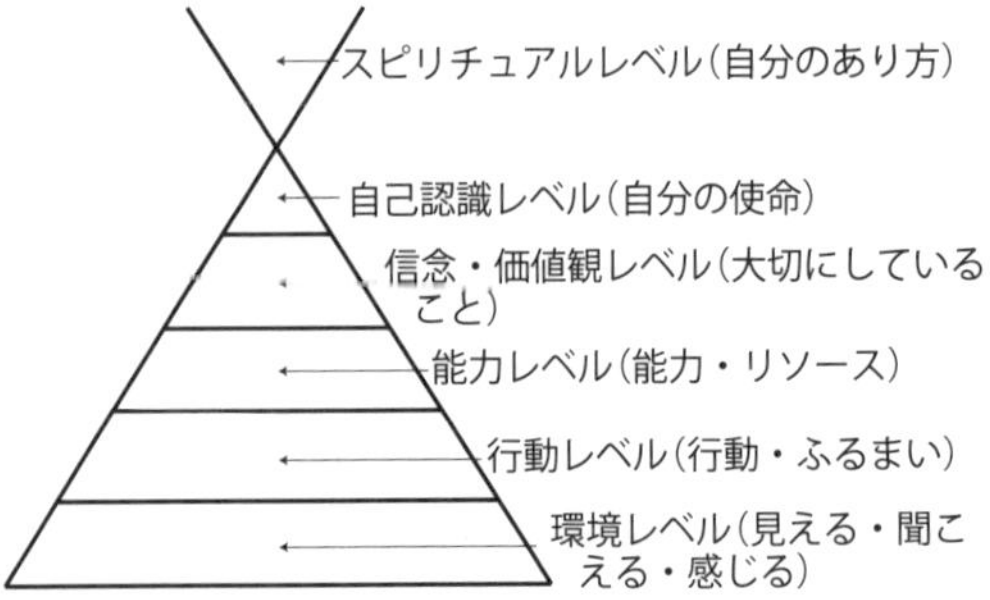

第4章
「もうかる会社」の実行計画

マンダラチャートという考え方

目標実現のための手段のひとつに、「マンダラチャート」と呼ばれるツールがあります。二刀流選手として大リーグで大活躍中の大谷翔平選手が高校時代、自分の目標であるプロ野球選手になることをこのマンダラチャートを書くことで実現したと報じられ、一躍有名になりました。

作り方は簡単で、3×3の正方形のマスを9個並べ、合計81個のマスを配置したものです。まず中央の3×3の真ん中に「最終目標」を書きます。続いてその周囲にそれを実現するための条件を8個書いていきます。

その8個の条件を周囲の3×3のマスの中央に写し、それぞれの周囲に8個の条件を実現させるための要件を書いていきます。

マスがすべて埋まったらマンダラチャートは完成です。あとはそこに書いてあることを実践していくだけで、あるべき姿の実現が近づくというわけです。

【マンダラチャートの書き方】

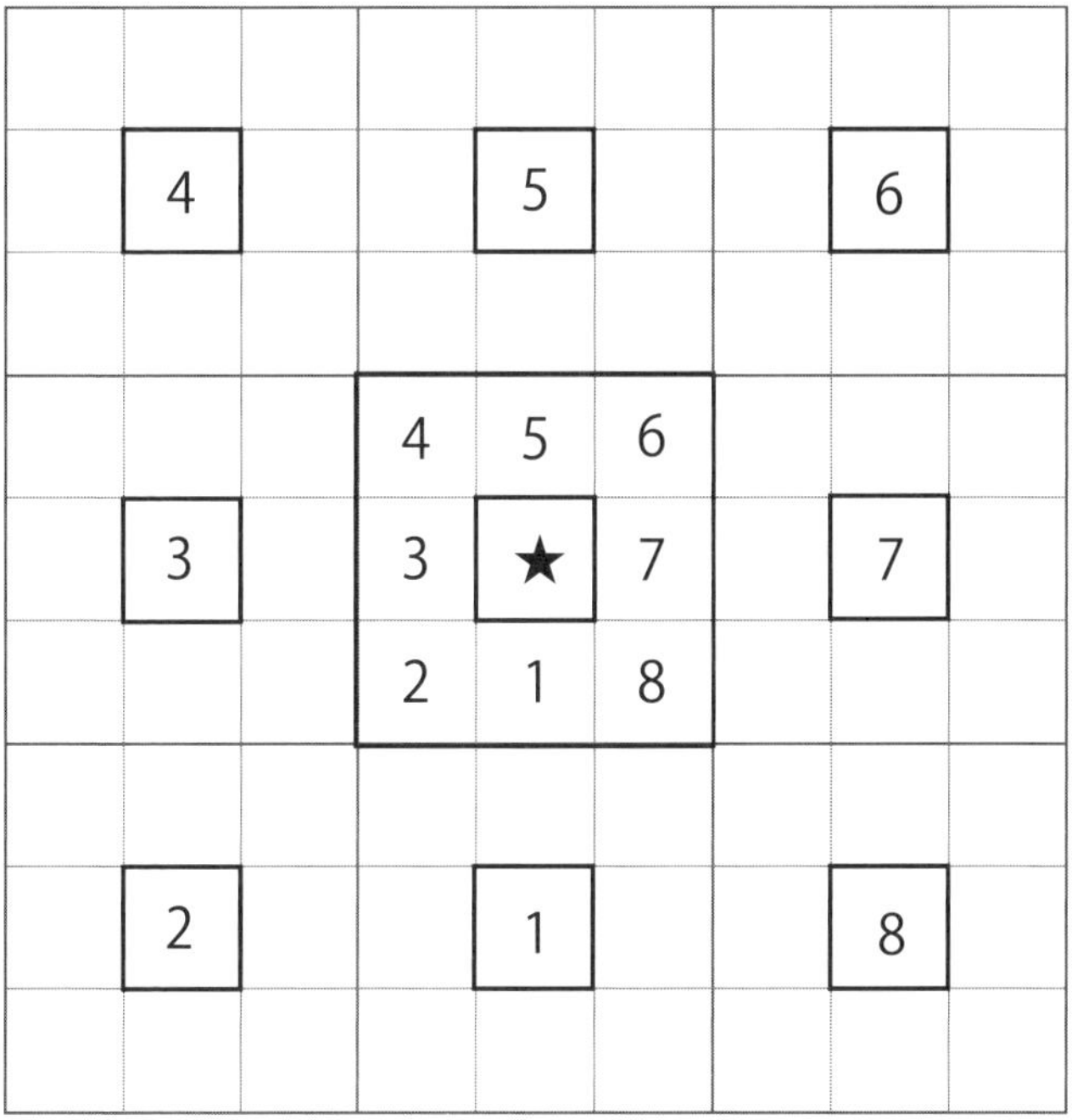

①3×3 のマスを 9 つ並べます

②中央のマス★に「あるべき姿」を書きます

③それを実現するための要件を 1〜8 まで書きます

④1〜8 を周囲のマスの中心に置きます

⑤1〜8 を実現するための条件をそれらの周囲に書いていきます

⑥すべてのマスが埋まったら完成です

マンダラチャートで課題を見える化

私も「マンダラチャート」を作ってみました。「永続する企業運営の達人づくり」を念頭に置き、人が育つしくみを構築するために、「あるべき姿」を「従業員がワクワクイキイキ」という言葉に込めました。その実現のための要件を配置したのが左の図です。

永続する企業を運営していくためには、環境の変化に機敏に反応しつつ、将来の繁栄を持続させる人材を育てていかなければなりません。そのためには部署の戦略を作り（チャレンジシート）、組織を活性化して（成長対話）成果を挙げることが必要です。

なにより大切なのは、従業員がみずからが計画を立て、チェックし、改善し、その目標達成に責任を持つことです。

このマンダラチャートで重要な位置を占めるのが、下部のマスの中央に位置する「トラストノート」です。「経営計画書」を実行するためのツールとして、トラストノートの存在は欠かすことができません。

【成長するしくみ】

昇格システム	諸規則	昇給システム	評価ツール	表彰制度	育成面接	成績評価基準書	部署方針	壁マネジメント
職能要件書	給与報酬	賞与システム	昇給賞与	評価処遇	提案制度	当期事業計画	ランクアップにチャレンジ	チャレンジシート
諸手当	給与システム	中間期末結果報告	適材適所	昇進昇格	育成ローテーション	目標設定	教育理論の共有	社内研修
脳力開発	上司面談	壁マネジメント	給与報酬	評価処遇	ランクアップにチャレンジ	7つの冊子	ブランドブック	85年誌
幹部会資料	目標管理	習慣づくり	目標管理	従業員がワクワクイキイキ	人材採用	経営計画書	人材採用	中途採用の仕組み
ありがとうカード	チャレンジシート	100年塾	成長育成	トラストノート	教育研修	新規採用の仕組み	エコグラムテスト	採用テスト
外部研修	職種別重点業務	HQCC	成長対話	脳力開発の勉強	習慣づくり	経営計画書	NLP	内定者研修
職種別評価基準	成長育成	成績評価基準	経営理念の実践	トラストノート	月間目標設定	安全品質研修	教育研修	MG
等級格付け	等級別役割基準	TRUST4資格試験	月間目標から週間・日々へ	年間目標設定	報連相の実践	理念研修	環境整備研修	新入社員研修

松井産業のマンダラチャートでは、「従業員がワクワクイキイキ」という「あるべき姿」を中央に配置し、それを実現するための 8 つの条件を考えてからすべてのマスを埋めました。

経営計画書は作っただけでは意味がない

私たちは苦労して最初の経営計画書を作りました。

完成したとき、「これでいい会社が作れる」と思ったものです。

しかし現実は甘くありませんでした。書いたらそれで終わりではなくて、そこからが始まりだということにやがて気づいたのです。


「絵に描いた餅」という言葉があります。短く縮めて「画餅」とも言います。立派なものを作り上げても、活用しなければ何の意味もないということです。最初の経営計画書を作ったばかりの私たちは、まさにそんな状態にありました。書き上げた経営計画書と、現実の社業との間に、大きなギャップが生じていたからです。

なぜそうなったかといえば、経営計画書をどのように使うかが社内で徹底されていなかったからです。


せっかく苦心して経営計画書を作っても、そこに書いてあることを従業員さんたちがど

【松井産業のピラミッド図】

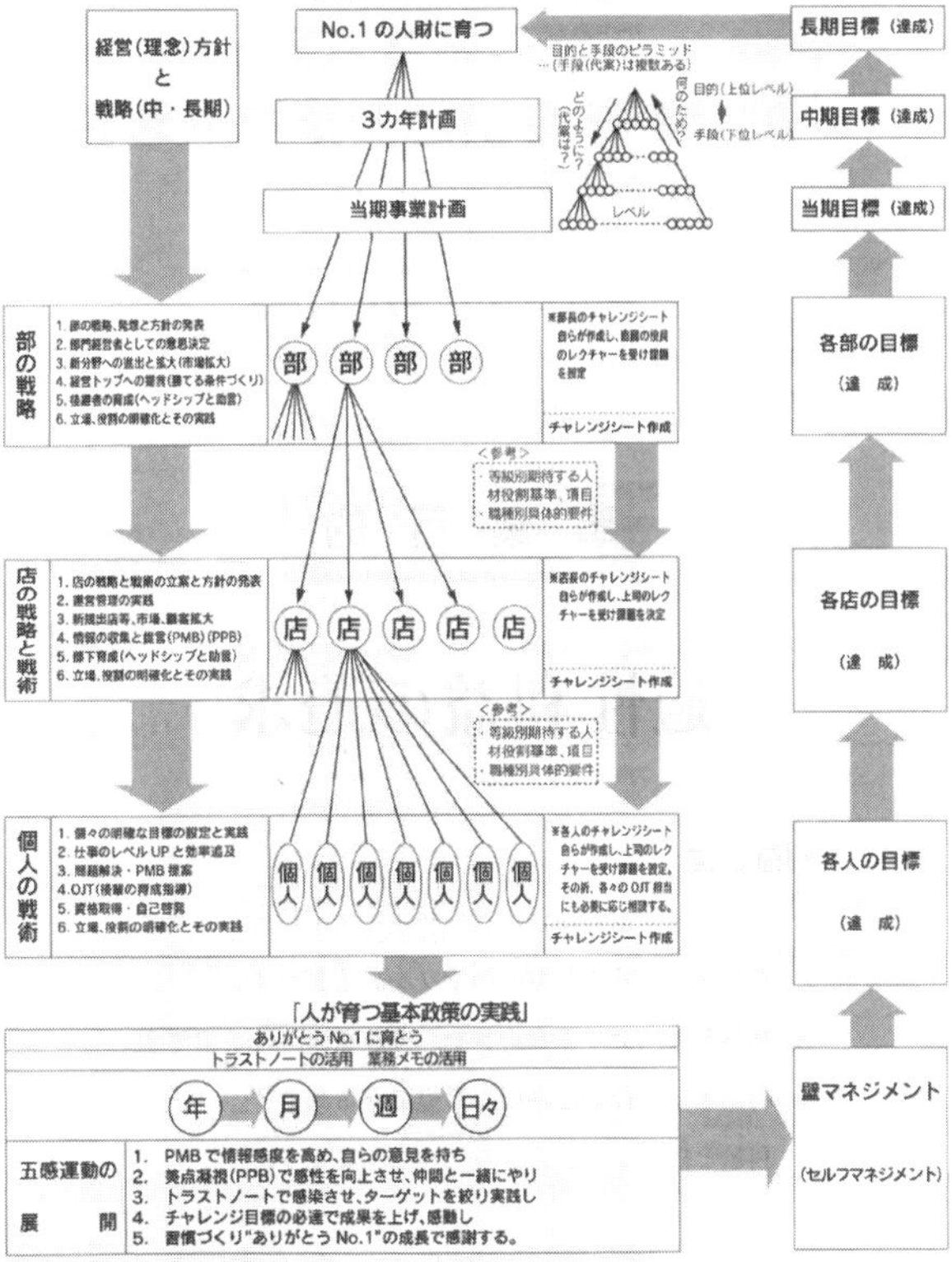

松井産業が現在使用している経営計画実行書「トラストノート」に示された目標必達への循環図。複雑に見えますが159ページの考え方を現状の組織に落とし込んで作成したものです。「上から下」「年から月、週、日」への2つの落とし込みがなされています。

のように実行するのかが定められていなければ、各人各様、十人十色のやり方で経営計画書に書かれていることを実行するしかありません。そこに解釈の違いが生じてしまい、思ったような効果が得られない状態になったのです。

たとえば、オフィスでは暑かったら冷房を入れ、寒かったら暖房をつけますよね。でも、ある人が「暑い」と思っても、別の人は「いやいや適温です」と思うかもしれません。だから「暑かったら冷房を入れましょう」と書いてあっても、「何度になったら入れるか」が書いてなければ現場が混乱するだけです。

そこで、経営計画書を実行していくにあたってのやり方を書いたものを作ることにしました。それが、現在の松井産業で使われている経営計画実行書「トラストノート」です。

トラストノートは経営計画書を実行するときのやり方を標準化して、その通りにやれば効率良く実行できるように作られています。

最初のものが誕生したのは今から20年くらい前ですが、時代とともに変化してきています。経営計画書は会社の方針や目標が書かれたものですが、トラストノートはそれを実行するためのツールです。

【トラストノートの使い方】

トラストノートとは

トラストノートは「自らが育つ」ために計画、
実行、反省するセルフマネジメントであり、
指導育成のポイントとなる人財育成ノートである。

〈活用方法〉

(1) 年間目標であるチャレンジシートと連動して活用

(2) 仕事の計画、段取りを書く。結果、反省を忘れずに（業務項目、内容、やり方、期限、結果、成果、分析など）

(3) 上司、先輩とのコミュニケーションノートとしても活用。箇条書きでわかりやすく

(4) 日々、週末、月末におけるチェック、フォローを次へ活かす

〈ポイント〉

(1) セルフマネジメントがきっちりとできるまで、所属長との相・連・報・の対話を密に

(2) トラストノートは日記帳ではなく、手際よく仕事を進めるための段取りノート。計画を立てる習慣づくりから始める。何を、いつまでに、どのようにするのかが大切

経営計画書を社内に浸透させる

経営計画書は社長の意思であり、方針です。それを会社全体のものとするためには、社長から管理職、従業員の順に書かれている内容をスムーズに降ろしていかなければなりません。

そのために松井産業では毎年、経営計画書が完成すると従業員に集まってもらい、私が内容の説明をします。

次に各部の管理者が会社の事業計画を受けて自分の部の戦略を立て、それを部署の方針とします。このとき、必ず前期の結果を踏まえて「今期どうするか」を考えるようにします。そのため、部署の方針は「前期の良かった点」と「反省すべき点」を明記し、それに対して今期は「どう進化するか」「どう改善するか」の観点から立てていきます。その例を左ページに掲載しましたので、参照してください。

【トラストノートの進捗管理】

このシートは計画の途中で「計画と実績」のギャップを埋めるために使います。ギャップの原因は数値データを含め、客観的な視点で考えることが必要です。

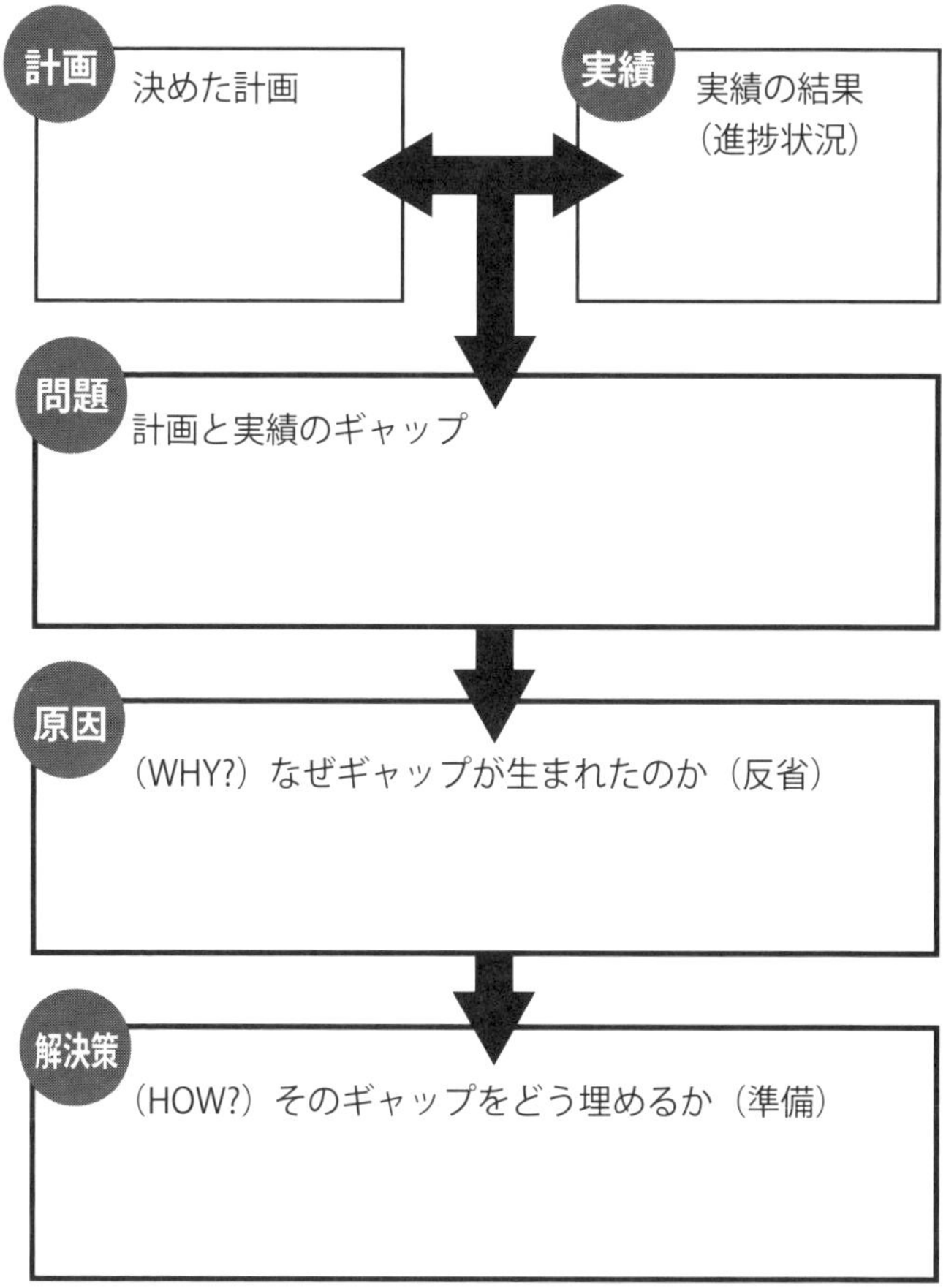

経営計画書の落とし込み（上から下）

会社の年度目標が発表されたら、次に各部署が今期の方針、今期の年度目標を立てます。さらに、それを受けて個人の個別方針、年度目標を各従業員が自分で立てていきます。

自分の前期の実績や良かった点、反省すべき点を事実として書き込み、今期は良かった点をどう強化するか、反省すべき点をどう改善するかを明確に記述します。

これによって自分の1年間の方針がはっきりと心に刻まれ、ぶれない行動指針が見えてきます。

【部署の方針・目標と具体策】

私の部署の今期の方針・目標

私の部署の今期の具体策

松井産業の「トラストノート」に掲載されている各部署の「方針・目標」と「具体策」を記入する欄です。

活動の基本になるチャレンジシート

次にお見せするのは「チャレンジシート」です。掲載したのはシートの書き方を示したものですが、チャレンジシートがどういうものであるかについての概略はおわかりいただけると思います。

このシートには一番左に今期の自分の役割を書く欄があります。これはA目標(重点課題)、B目標(部下育成・業務改善)、C目標(能力向上)の3つに分かれていますが、A目標とB目標は「経営計画書」の「目標」「全社重点方針」「商品別重点項目」をもとに作成します。

次に、3つの目標を達成するための要素を右の欄に書きます。その右にはその項目を達成するための具体的な方法を3段階に掘り下げて記入します。

これにより、会社から自分が求められている役割と、それを実現するために実行しなければならないことが明確にわかるようになっています。

各項目には達成期限があり、期限の欄の右には達成できたかどうかについての自己評価を書くようになっています。その部分は上長がチェックし、それに基づいて適切な指導を行います。

このチャレンジシートは従業員だけが書くのではなく、管理職は管理職のチャレンジシートを作成します。

これでわかるように、チャレンジシートは組織の構成員すべてが会社の仕事を理想に近づけて働くための年間目標です。トラストノートに記入されることは、すべてチャレンジシートに連動していなければなりません。

逆に言えば、チャレンジシートで設定した年間目標を実行に移す手段がトラストノートであり、経営計画書を実現させる強力なツールなのです。

ンジシート

年　月　日　～　年　月　日

氏名

上長

成します

Ⅱの具体的やり方

が3段階に掘り下げて記入します

達成期限

評価ポイント　達成基準

本人が記入し、上長がチェックします

やり方

やり方

やり方

ここは、左のⅡの項目が達成できたとは、どういう状態かを記入します。できるだけ、数値化してください。

上長は、部下の設定した基準の甘辛をチェックして適正になるよう、指導してください。

BC目標共に、かみくだいて具体化します

第　　期　（上・下）期　人材育成のための目標チ

A･B目標は経営計画書の目標、全社重点方針、商品別重点項目

	I　あなたの今期の役割（やってほしいこと） 上長があなたに期待することを記入します	II　左記のIを達成するために、特にやらなければいけない重点項目　3つ 本人または上長が記入します	I
A 目標（重点課題）	a. 所属部署の目標達成のため、特にあなたにやってほしいこと 目標 業績に直結する目標です ・売上up（お客様を増やす）	a−1 重点項目	a
		a−2 重点項目	a
		a−3 重点項目	a
B 目標（部下育成・業務改善）	b. 部下育成や業務改善（組織・部門の新たな基本づくり）のために、特にあなたにやってほしいこと 組織・部門に関する目標です	b−1 S2以上の社員は必ず、誰かのOJTを行い自分のNo2を育成してください	b
		b−2	b
		b−3 仕事の質を高める取り組み内容です	b
C 目標（能力向上）	c. あなたの現状の能力、立場、役割から必要と思われることを上長と相談して、重点項目3つを右欄に書いてください。 自分の力を伸ばす目標です 職務基準書から、課題をみつけ、その能力を高めるために勉強すること、必要なことを右欄に記入してください	c−1	c
		c−2	c
		c−3	c
	1	2	3

※東川鷹年氏の「チャレンジシート」を参考に作成

経営計画の落とし込み（年から月、週、日）

次ページからは実際に書き込まれた月単位、週単位の計画表をお見せしましょう。

月別計画には、年間計画でやると決めたことを、それを何月にやるか決定し、落とし込んでいきます。いつやるかが決まれば、おのずとその準備にかかる期間が見えてきます。具体的な数字目標を書き込み、計画の進め方を具体的に記します。右の欄にはその結果や反省を記入します。なお個人情報保護のために一部の表記をモザイク処理してあります。

月別計画に書いたことを週単位、日単位に落とし込むのが次の週別計画です。これで今日やること、明日やるべきことが明確になり、期日が迫ってから慌てることがなくなります。

週別計画はよく見ていただくとわかると思いますが、週単位でのPDCAと日単位でのPDCAを書く欄が設けられています。毎日ここに書き込むことで、日ごとの自分の行動をしっかりと把握し、惰性で流されて仕事をしてしまうことがないようにしています。

月別計画、週別計画ともに本人と上司の印鑑を押すスペースがあります。

(テーマ) **4大商品で日本一になる**

[redacted]

(月間目標) 11 月 (これを週の目標に落とし込んで実行)

今月の重点目標	具体的な進め方	結果・反省
1.数字目標 1.why 2.what 3.who 4.when 5.where 6.How 7.How much	① [redacted] 1. 着工から完了までに 2. 図面引渡し 3. 協力設計事務所、設計担当 4. 11/9 5. ー 6. 聖ことー…、速度による。	① [illegible] ・確認下附 11/1 ・引渡 11/4
確認申請・設計図書.	② [redacted] 1～3.5～7 共通 (CS、外構) 4. 11/9	② [illegible] ・確認下附 11/28
① [redacted] ・確認下附 11/9 ・図面引渡 11/9	③ [redacted] 1～3.5～7 共通 (図書、確認下附) 4. 11/15	③ [illegible] ・確認 12/24 ・引渡 12/7
② [redacted] ・確認下附 11/15 ・図面引渡 11/29	④ [redacted] 1～3.5～7 共通 (図書、確認下附) 4 11/15	④ [illegible] ・確認 1/8 ・引渡 12/7
③ [redacted] ・確認下附 11/15 ・図面引渡 1/25	⑤ [redacted] 1～3.5～7 共通 (図書、確認下附) 4. 11/19	⑤ [illegible] ・確認 1/2 ・引渡
④ [redacted] ・確認下附 11/15 ・図面引渡 11/15	⑥ [redacted] 1～3.5～7 共通 (CS) 4. 11/22	⑥ [illegible] ・引渡 1/5
⑤ [redacted] ・確認下附 11/19 ・図面引渡 11/19	⑦ [redacted] 1～3.5～7 共通 (図書、確認下附) 4 11/9 11/30	⑦ [illegible] ・申請 [illegible] ・CS
⑥ [redacted] ・確認下附 12/20 ・図面引渡 12/20	⑧ [redacted] 11/1打合せ、設計	⑧ [illegible] ・[illegible] 12/28
⑦ [redacted] ・確認下附 11/30 ・図面引渡 11/30	⑨ [redacted] 設計申込み 11/10頃.	⑨ [illegible] ・設計 [illegible]
⑧ [redacted] 設計 11/15 [illegible] ⑨ [redacted] 設計 11/9 [illegible]	[illegible] [redacted]	

(留意事項)

1. [illegible] の実施		目標.				
2. 設計 [illegible]		1. 耐震等級 2.3				
3. [illegible]		2. 構造計算				
4. [illegible]		3. 設計図書 2.3 [illegible]				

年間目標より、今月は「何をやるのか」「どういう方法でやるのか」「それをやれば目標の達成は可能か」そのポイントを書いて下さい。why・what・who・when・where・How・How much

目標と現状の差異を確認し、問題を把握し、より良い方法を常に工夫する。

ムダを排除し、より効率的な仕事の進め方を考えて実行する。why・what・who・when・where・How・How much

結果を踏まえて次なる手立て A	ルーティン行動	月	火	水	木	金	土	日
[redacted]、配置確定、[illegible]	1 ありがとうカード	/	○	/	/	/	○	
[redacted]、[illegible] 11/16 まとめる	2 家庭者入力	/	○	/	○	/	○	
[redacted]、[illegible] 11/18 まとめる	3 営業ナビ	/	/	/	○	/	/	
[redacted] [illegible] 11/19 まとめる	4 環境整備	/	○	/	/	/	○	
11/20 [illegible]	5 [illegible]	○	○	/	○	/	○	

[17] 土	○×	[18] 日	○×
今日必ずやること [illegible] （商工まつり）		今日必ずやること （商工まつり）	
・清掃	○	・清掃	
・朝礼	○	・朝礼	
・商工まつり、[illegible]			
[illegible]		[illegible]	
[redacted] ・商工まつり[illegible] ・[illegible]		[redacted] [illegible] [redacted] [illegible]	

	今日よかったこと どんどん自画自賛しよう	今日をもう一度やり直せるなら 改善策を考えてみよう
月		
火		・[redacted] [illegible] ・[redacted]
水		
木	[redacted] [illegible]	・[illegible]
金		・[redacted] [illegible]
土	12/11・[illegible] 11/19日より実行する	[illegible]
日	・[illegible] ・[illegible] LINE、[illegible]	[illegible] 12/3 [illegible]

<MEMO> 4大商品で日本一になる HQCC

[illegible]
・[illegible] [redacted] (上班)
12/16 [illegible]
5300/6000

SSSでダントツ　Sスピード　Sサービス　S差別化

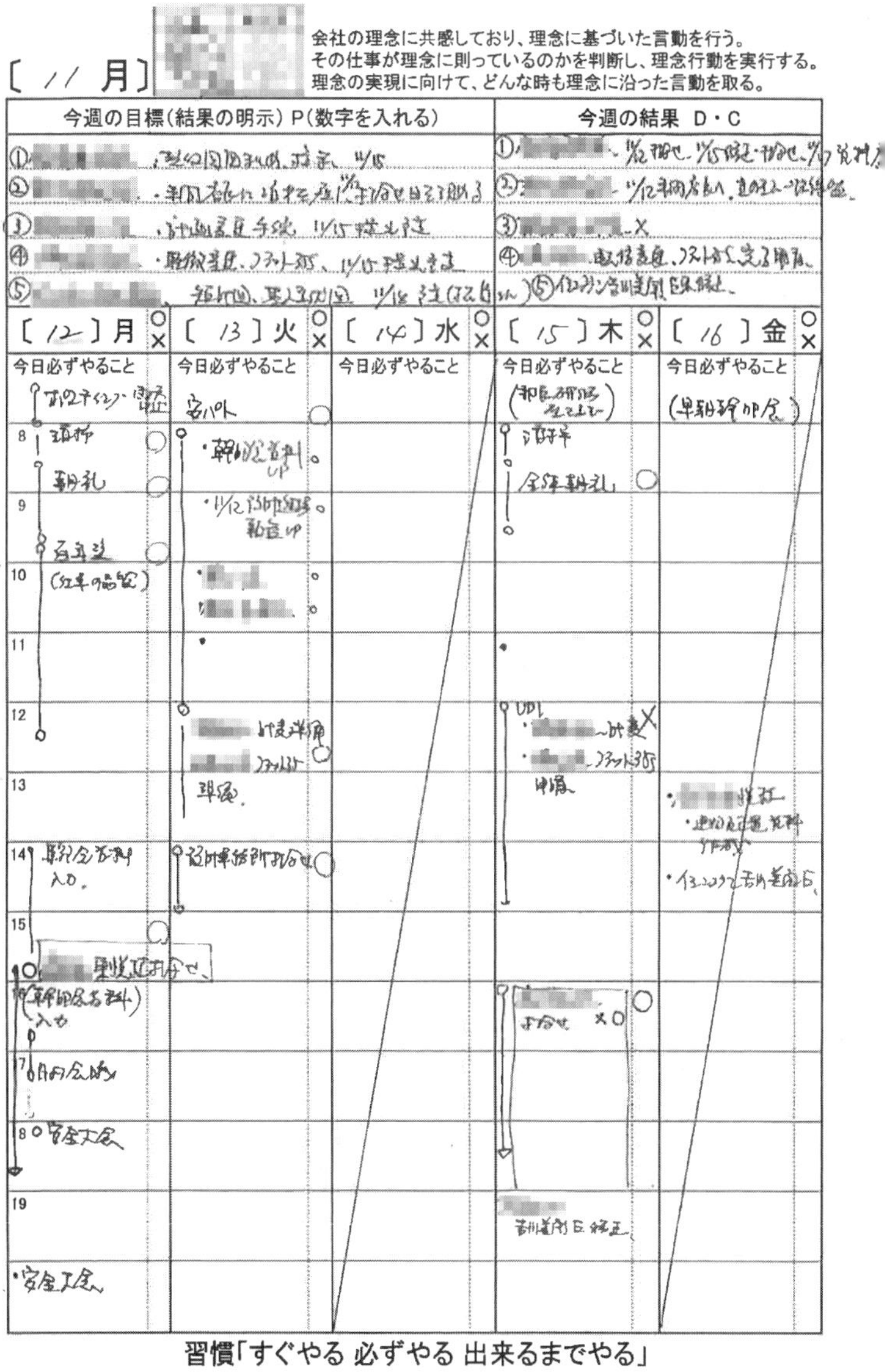

［ 11 月］
会社の理念に共感しており、理念に基づいた言動を行う。
その仕事が理念に則っているのかを判断し、理念行動を実行する。
理念の実現に向けて、どんな時も理念に沿った言動を取る。
今週の目標（結果の明示）P（数字を入れる）
今週の結果 D・C
［ 12 ］月 ○×
［ 13 ］火 ○×
［ 14 ］水 ○×
［ 15 ］木 ○×
［ 16 ］金 ○×
今日必ずやること
8
9
10
11
12
13
14
15
16
17
18
19
習慣「すぐやる 必ずやる 出来るまでやる」

【「情熱・熱意・執念」良い習慣づくりの3面】

	つくろう項目	あなたの習慣づくり	やめよう項目
1面	A-1 自分で主体的にやる姿勢	A-1 “自分で主体的にやる姿勢をつくろう”の関連 ●グチを言わないこと（後ろ向きの不平を前向きに変える） ●人のせいにしないこと（自分の側の反省をまず先に） ●（改善に対して）自分のやることを明確にして実行すること	a-1 人頼りの姿勢
	A-2 いつも進歩発展をめざす姿勢	A-2 “進歩発展をめざす姿勢をつくろう”の関連 ●人の批判はいったん全部聞くこと（話は最後まで聞く） ●あえて自分を低めに見せること（失敗・ボロ・批判を喜ぶ） ●マイナスの言葉を使わないこと（特に三禁句）難しい、困った、参った	a-2 現状に甘んずる姿勢
	A-3 他人の利益もはかる姿勢	A-3 “他人の利益もはかる姿勢をつくろう”の関連 ●いつも「笑顔」と明るいあいさつに務めること ●「ありがとう」「すみません（ごめんなさい）」を確実に言うこと ●憎まず、バカにせず、敬遠せず、尊敬し、思いやる	a-3 自分だけよしの姿勢
2面	B-1 常に中心点を明らかにし、中心・骨組みで考える習慣（常に目的・目標を明確にする習慣）	B-1 “中心・骨組みで考える習慣をつくろう”の関連 ●「中心は？」「何のため？」「代案は？」を連発すること	b-1 中心・骨組み、目的・目標等の不明確な混乱した習慣（枝葉末節にとらわれて中心・本質を損なう習慣）
	B-2 常に両面とも考え、どちらが主流かも考える習慣（いつでも対比で考える習慣）	B-2 “両面とも考え、どちらが主流かも考える習慣をつくろう”の関連 ●「反（対）面は？」「主流は？」を連発すること	b-2 物事の片面・一面しか考えない習慣（物事の一部・一面だけ孤立して考える習慣）

松井産業『トラストノート』P33

2面	B-3 立場・観点を整理し、多角度から考える習慣（多数の構成要素をいくつもの角度から検討する習慣）	B-3 “立場・観点を整理し、多角度から考える習慣をつくろう”の関連 ●「どの立場（角度）からか？」「他の立場（角度）は？」を連発すること	b-3 一方的な角度（立場・観点）からしか考えない習慣（ひとつの要素・方向しか考えない習慣）
	B-4 確定的要素から出発して考える習慣（客観と主観を区別や整理して考える習慣）	B-4 “確定的要素から出発して考える習慣をつくろう”の関連 ●「確かか？」「客観か主観か？」を連発すること	b-4 確定的でない要素に振り回される習慣（客観と主観が混乱する習慣）
	B-5 行動のつながりで具体的に考える習慣（概念と具体的中身はセットで、しかも連係的に考える習慣）	B-5 “行動のつながりで具体的に考える習慣をつくろう”の関連 ●「具体的中身は？」「行動内容は？」を連発すること	b-5 概念のつながりだけで抽象的に考える習慣（具体的中身とそのつながりを疎かにする習慣）
3面	C-1 知識はすぐに使う習慣 C-2 できるだけたくさんの物事に首を突っ込む習慣 C-3 できるだけたくさんの人に接触する習慣	脳力開発の方法指針と3大実行方針、習慣の形成 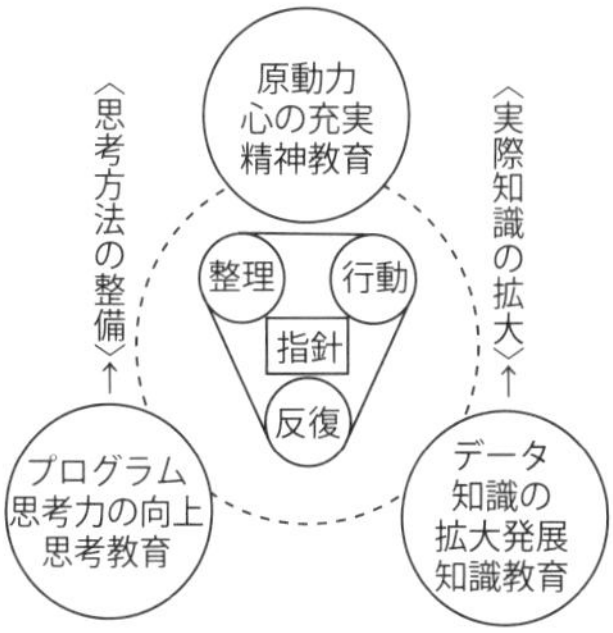	c-1 ペーパー知識（活字知識）のままで孤立させておく習慣 c-2 なるべく余計なことに関心を持つまいとする習慣 c-3 少人数の人と付き合うだけで交際範囲を広げまいとする習慣

資料提供：㈱脳力開発センター

コラム 4

「モデリング」

理想の誰かを真似ることを「モデリング」といいます。自分が望む行動をしている人や自分が目標としている結果を出している人を真似ることで、その人と同じような行動パターンや結果を得ることが可能になります。

なぜそうなるのかというと、理想の誰かを真似る行動が五感を通して脳に伝わり、理想の誰かとよく似たプログラムが脳の中で作られるからです。行動パターンや思考パターンが似てくれば、理想の誰かが手にしている成功も得やすくなります。

モデリングのためには、まず目標を設定してモデルを決めます。次にモデルとなる人の情報を集め、徹底的に真似をします。服装や立ち居ふるまい、会話のクセ、言葉づかい、ちょっとした動作、考え方など、真似るべきポイントは無数にあります。

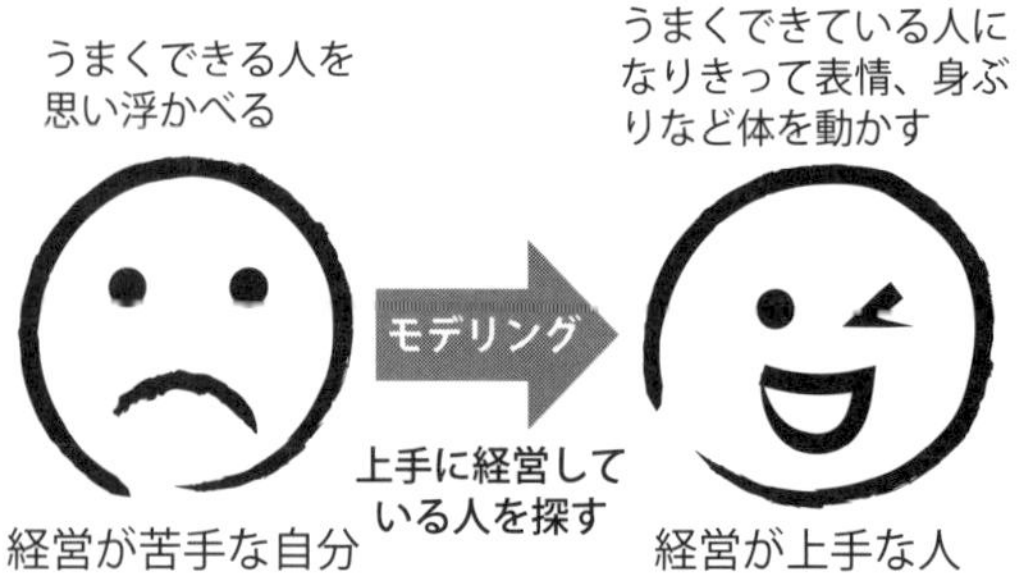
うまくできる人を
思い浮かべる
うまくできている人に
なりきって表情、身ぶりなど体を動かす
モデリング
上手に経営している人を探す
経営が苦手な自分
経営が上手な人

第5章
自社のブランド化

ブランドとは何か

現代マーケティングの第一人者といわれるアメリカの経済学者・フィリップ・コトラーは、ブランドについて次のように定義しています。

「ブランドとは個別の売り手や売り手の集団や財やサービスを認識させ、競合する売り手の製品やサービスと区別するための名称、言葉、記号、シンボル、デザイン、あるいはこれらの組み合わせである」

ひとことで言えば、ブランドとは区別するための要素です。もともとブランドという言葉は牧場の所有者が放牧している自分の家畜に、目印としてつけた焼印を意味するものでした。そこから「区別するもの」という意味が生まれ、今ではすぐれた性能やサービスを顧客に認識してもらい、競合の中から自社を選択してもらうための企業活動を示すようになったわけです。

【ブランドとは区別するための要素】

「ブランドとは個別の売り手や売り手の集団や財やサービスを認識させ、競合する売り手の製品やサービスと区別するための名称、言葉、記号、シンボル、デザイン、あるいはこれらの組み合わせである」…フィリップ・コトラーによる定義

「商工会」というブランド

企業がゼロからブランドを構築するのは簡単なことではありませんが、組織や組合に加盟することで、その組織や組合のブランドを得ることができます。

たとえば「商工会」という組織があります。商工会は昭和35年に「商工会の組織に関する法律」により全国的にできた特別認可法人ですが、全国に１６６０の組織があり、１００万会員を擁しています。商工会の目的は「地区内における商工業の総合的な改善発達を図り、あわせて社会一般の福祉の増進に資すること」です。

みなさんの会社が商工会に所属すれば、「商工会会員」というブランドを労せずして得ることができます。それだけでなく、事業資金の借入れや事業相談、各種事務の記帳代行、事業に有益な情報の提供などを受けることが可能になります。

松井産業の所属しているのは、埼玉県の三郷市商工会と吉川市商工会です。

【ブランド戦略の構築】

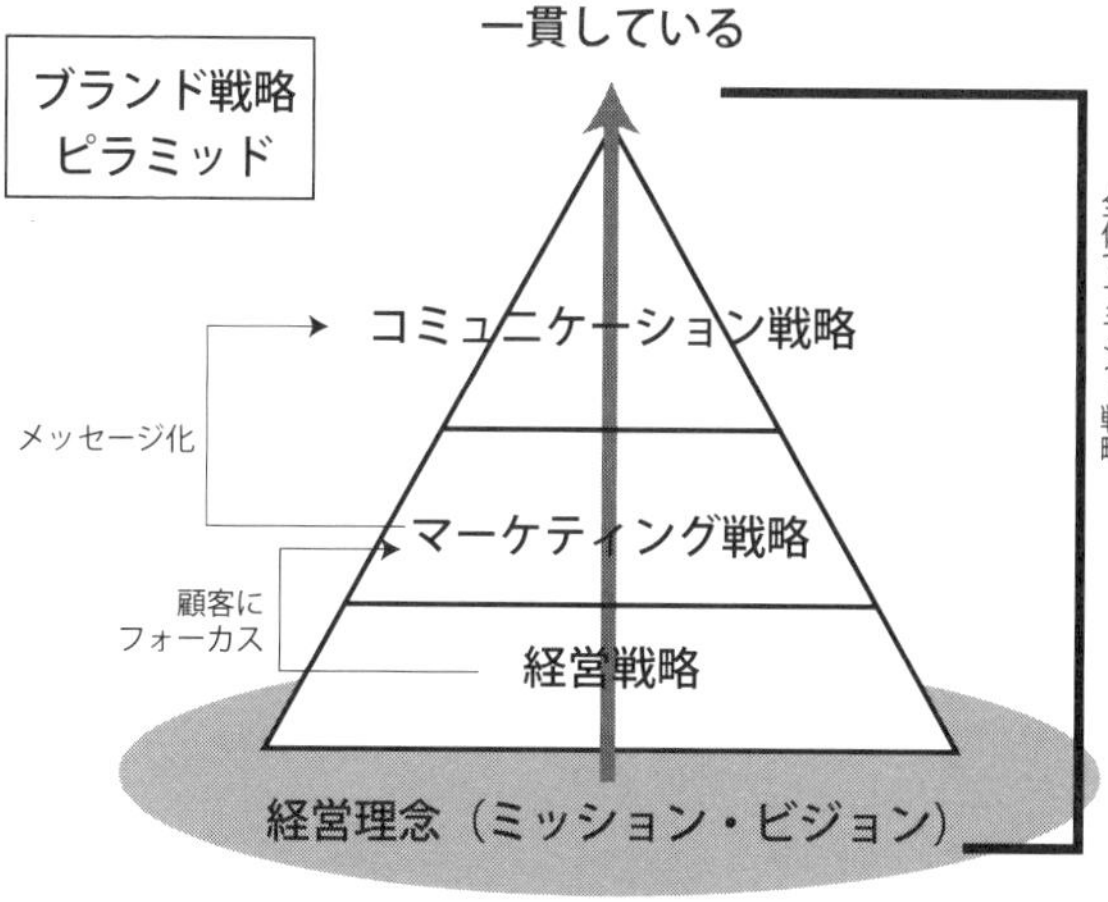

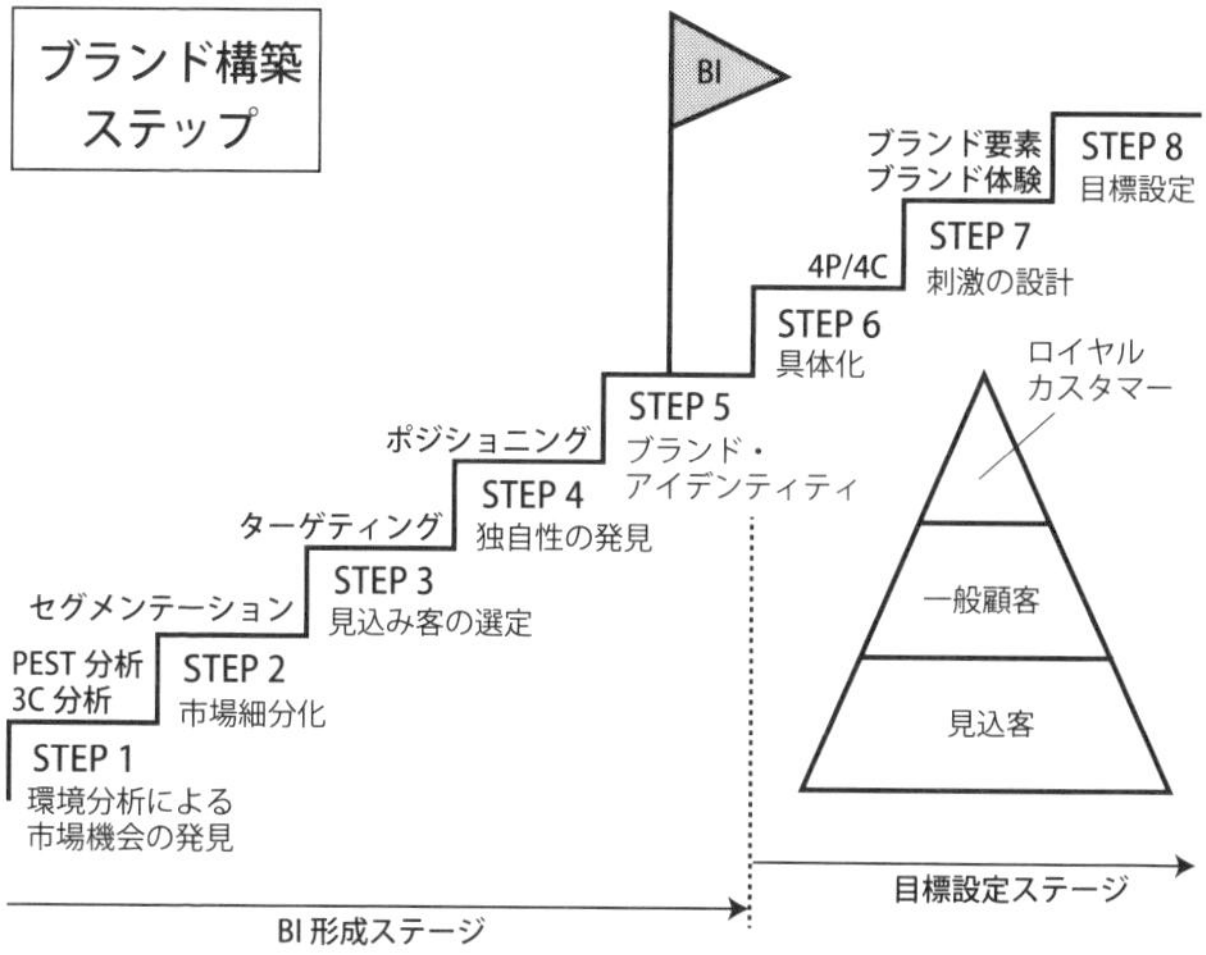

※一般財団法人ブランド・マネージャー認定協会著『ブランド・マネージャー資格試験公式テキスト』を参考に作成

小規模企業にはブランドが必要

ではなぜブランドがあるといいのでしょうか。

それは、顧客獲得の労力が減り、競合他社より有利にビジネスを展開することができるからです。ブランドがあることにより、関係会社や金融機関、従業員やその家族の信用も高くなります。

しかし、小規模企業の多くは他社と差別化できる商品が少なく、自社の強みを正確に認識していないため、ブランドづくりをあきらめてしまっているケースが多いようです。これでは100年企業を目指すことはおろか、じり貧を避けることさえむずかしくなります。

まずはブランドづくりの大切さを認識し、地域の商工会に相談してみましょう。同業他社や同規模企業の動向をよく知り、自分たちに足りないところを学ぶことで、必ず活路が見えてきます。左ページにその流れをまとめてみました。

【ブランドのない小規模企業が生き る道】

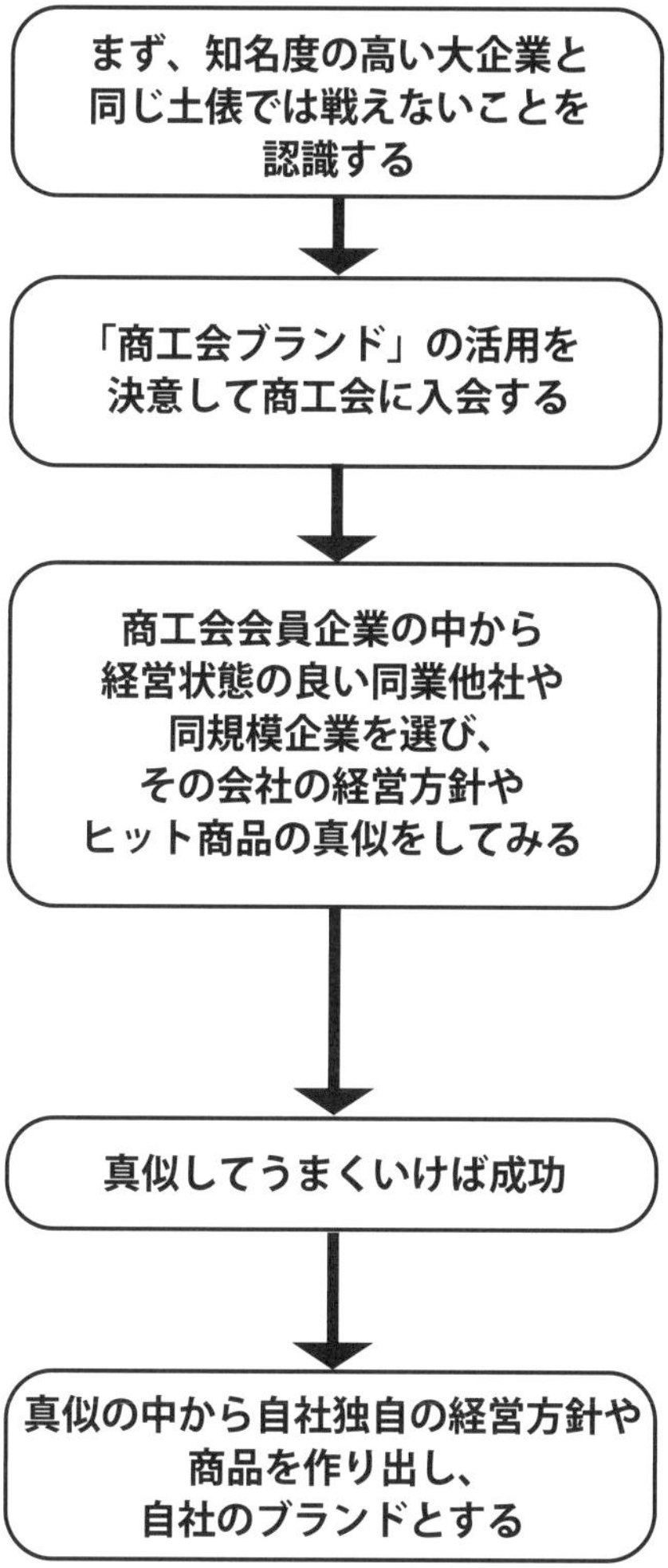
まず、知名度の高い大企業と
同じ土俵では戦えないことを
認識する
「商工会ブランド」の活用を
決意して商工会に入会する
商工会会員企業の中から
経営状態の良い同業他社や
同規模企業を選び、
その会社の経営方針や
ヒット商品の真似をしてみる
真似してうまくいけば成功
真似の中から自社独自の経営方針や
商品を作り出し、
自社のブランドとする

小規模企業のブランドは「ＨＱＣＣ」

私たちはブランドを次のように考えています。

「ブランドとは社会に約束をすること。約束を実行し、お客さまの『期待』と『信頼』に応え続けることで、お客さまとの間に長期的な関係を築くことができます」

そして「ＨＱＣＣ」という４つの要素をブランドの根幹にしています。

ＨＱＣＣとは、Ｈ＝ホスピタリティ（精神的なサービス、ちょっとした思いやり、心遣い）、Ｑ＝クオリティ（製品とサービスの品質、コスト、量や納期、安全を総合したもの）、Ｃ＝クリンリネス（整理、整頓《せいとん》、清掃、清潔、躾《しつけ》）、Ｃ＝コミュニケーション（理解し、納得してもらう伝え方）の頭文字をとったものです。

私たちはこの４つの頭文字を「４大商品」ととらえ、４大商品で日本一になることを「トラスト４」と呼んでいます。「トラスト４」の条件は、ＨＱＣＣの４つの資格に合格することです。

【小規模企業のブランド】

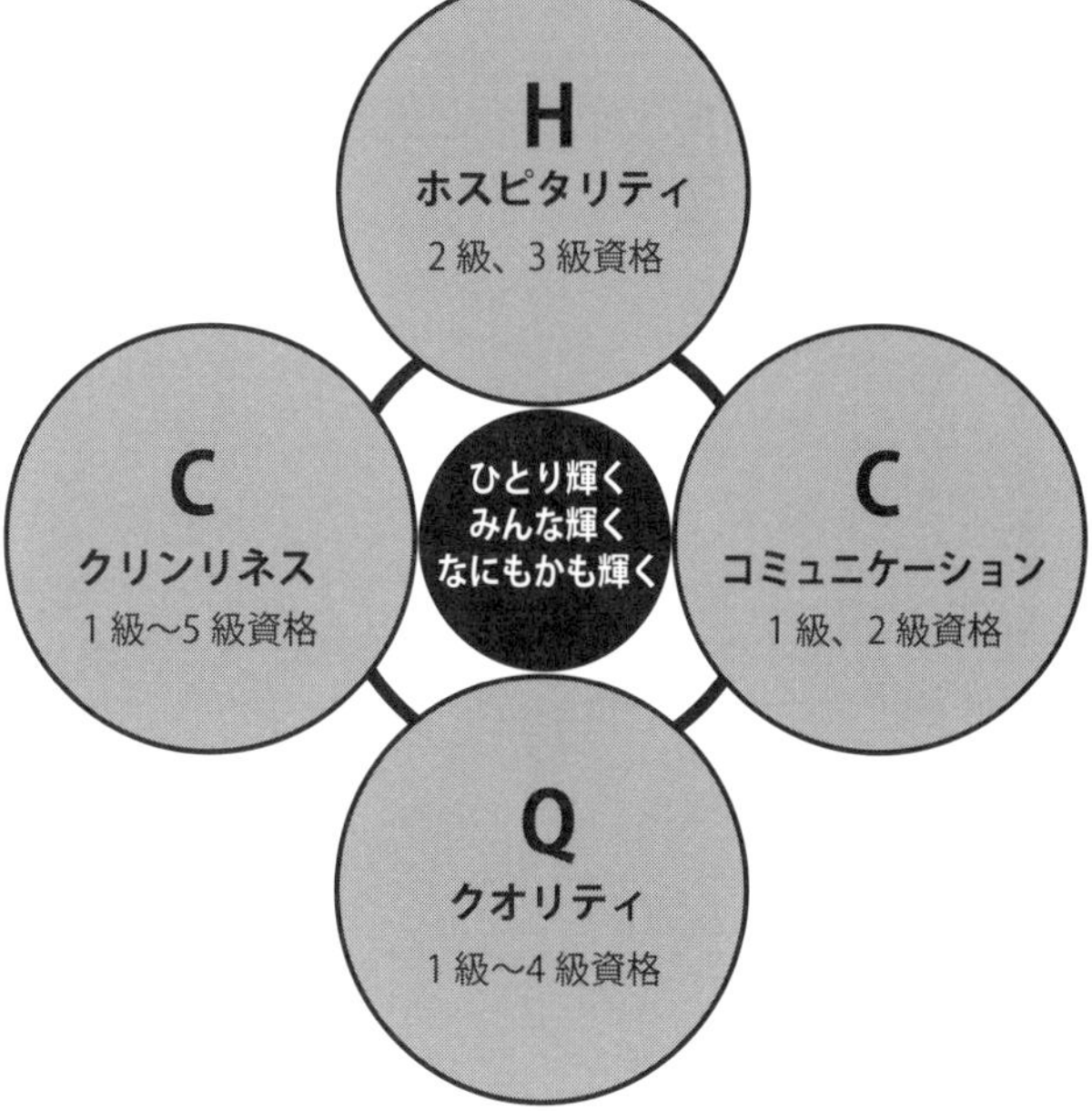

合言葉は TRUST4

TRUST4 はお客様が心の中に抱くブランド・イメージと、会社が製品・サービスによって提供したいブランド独自の価値を近づけ、一致させる行動を行う。

ブランド・イメージ＝会社の価値
（お客様）　　（会社）

（例）松井産業の「ブランドブック」

私たち松井産業では、前述の「トラスト4」を合言葉にしたブランドブックを作成し、配布しています。その最初のページには、次の言葉が掲載されています。

これまでも、これからも変わらない気持ち

これまでトラスト4は、「お客様の豊かな生活のサポート」を中心に、企業活動を行ってきました。

常に「豊かな生活のサポート」が第一であり、これからも変わらない企業活動としての道しるべだと考えています。

トラスト4の新しい目標や夢をめざすためには、これまでと同様にトラスト4の一人ひとりの才能や技術がとても大切です。

だれにも負けない努力をすること。そして、常に創造的な仕事をすること。そんなトラスト4らしいバランスのとれた人間性を備える。

ここにトラスト4ブランドを宣言します。

トラスト4　HQCC実践の模範者

【トラスト４　Brand《ブランド》 Statement《ステートメント》】

トラスト４が、社会と、みなさまと、約束したいこと

■VALUE トラスト４の提供する価値

トラスト４は、お客さまの「最大の満足」を提供します

トラスト４は、お客さまの心をとらえた最高のパーソナルサービスによって「お客さまの最大の満足を追求する心」を本気で考え、お客さまの「豊かな暮らし」に一歩でも近づきます。

■MISSION トラスト４の使命

トラスト４は、生活創造型企業として、人に社会に貢献する

トラスト４は、お客さま一人ひとりのささやかな思いにも心を傾け、「だれにも負けない努力」でお客さまの豊かな暮らしと社会を実現することが使命です。

■PERSONALITY トラスト４のめざす人格

トラスト４は、信頼の「絆」を生涯にわたって深めます

トラスト４は、「独創性」と「使命をまっとうする強い信念」で、お客さまの一生のパートナーであり続けることをめざします。

■VISION トラスト４の想いを描く夢

トラスト４は、４大商品で日本一になる

トラスト４は、時代が求めるニーズを敏感に吸収し、お客さまに「心からの満足」を提供し続けたいと思っています。また、いつの時代にも「豊かな生活を創りだす原動力」でありたいと思っています。

ブランドブックにある「エレメント1」はブランドステートメントで、その内容は前ページに掲載しました。「エレメント2」はブランドスローガンで、その内容は次の言葉で表現されています。


「ブランドスローガン」

それは私たちの共有するテーマ。

ブランドステートメントを象徴する短い言葉です。

トラスト4ブランドの意志や方向性を、ひと言で表しています。

お客さまとトラスト4の絆づくりへの情熱が込められています。

感動をカタチに

お客さまが想い描く「豊かな暮らし」に一歩でも近づく。
すべては夢を持って生きるお客さまのために、ふさわしいサービスを提供し、
心から暮らしを楽しんでもらいたい。
そして、いつまでもお客さまとの絆を大切にする企業へ。
今日も笑顔。
次ページからは、トラスト4の4つの要素と関連した資格試験の問題を紹介します。

【ブランドという価値観】

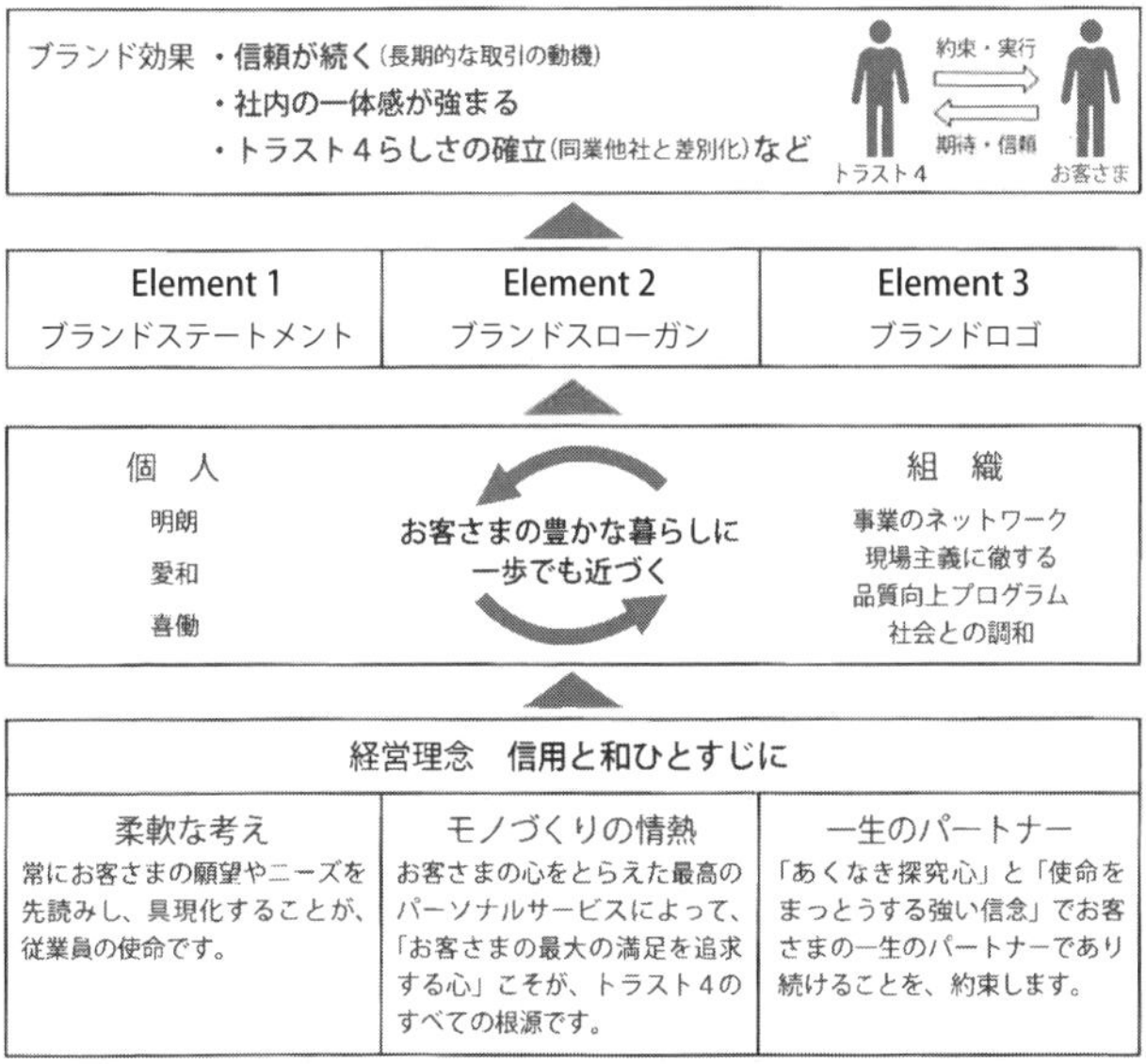
ブランド効果
・信頼が続く（長期的な取引の動機）
・社内の一体感が強まる
・トラスト４らしさの確立（同業他社と差別化）など
約束・実行
期待・信頼
トラスト４
お客さま
Element 1
ブランドステートメント
Element 2
ブランドスローガン
Element 3
ブランドロゴ
個　人
明朗
愛和
喜働
お客さまの豊かな暮らしに
一歩でも近づく
組　織
事業のネットワーク
現場主義に徹する
品質向上プログラム
社会との調和
経営理念　信用と和ひとすじに
柔軟な考え
常にお客さまの願望やニーズを先読みし、具現化することが、従業員の使命です。
モノづくりの情熱
お客さまの心をとらえた最高のパーソナルサービスによって、「お客さまの最大の満足を追求する心」こそが、トラスト４のすべての根源です。
一生のパートナー
「あくなき探究心」と「使命をまっとうする強い信念」でお客さまの一生のパートナーであり続けることを、約束します。

お客さまの信頼に効果を発揮するのが「ブランド」という価値観です。ブランドは社会に約束をすること。約束を実行し、お客さまの「期待」と「信頼」にこたえ続けることで、トラスト４とお客さまとの間に、長期的な関係を築き上げることができます。ブランドは、一人ひとりの行動を通して世の中に浸透し、何年も歳月をかけて育てていくものだから、従業員一人ひとりの理解と行動がなければ、「ブランド」の確立はあり得ません。「ブランド」を自分のものとして日々行動するとともに、従業員全員で意識を共有しながら、社会に向かって「トラスト４ブランド」を訴えていきます。

【トラスト４その１　ホスピタリティ】

ホスピタリティとは、
精神的サービス、ち
ょっとした思いやり、
心遣いのこと

ホスピタリティ検定練習問題

次の記述について、適切なものには○を、適切とはいえないものには×をつけなさい。

●相手に思いやりをもって接するためには、相手の立場に立って物事を考えていくことが大切である。

●ホスピタリティに大切な考えは「Why 的発想」である。

●ホスピタリティマナーの基本は「笑顔・態度・身だしなみ」の3つである。

●3つのホスピタリティ・アクションとは「目配り・気配り・心配り」である。

●ホスピタリティの実践で、Win-Win の関係を目指す。

●ホスピタリティは接客の仕事をする人だけに求められている。

●外国語が苦手な人は、困っている外国人に積極的に声をかけなくてよい。

●積極的に聴くことはホスピタリティの基本である。

【トラスト４その２　クオリティ】

総合的な品質は、
①Q(Quality 狭義の品質)
②C(Cost 原価・利益)
③D(Delivery 量・納期)
④S(Safety 安全)
を達成することを目標にする。

品質管理検定練習問題

次の各文章について、正しいものには○を、正しくないものには×をつけなさい。

●QCDとは、Quality（品質）、Cost（原価）、Delivery（量・納期）の総称のことである。

●連絡の時間は、あらかじめ相手、時間が決められている場合は、緊急時であっても決められた以外の連絡は行ってはいけない。

●品質管理において、“お客様”とは実際に製品やサービスを受ける“顧客”であって、社内の人を“お客様”と考えることはない。

●三現主義とは「現場・現物・現実主義」のことである。

●標準化の目的は、実在の問題、または起こる可能性のある問題に関して、与えられた状況において最適な程度の秩序を得ることである。

●品質管理活動で大切な「報連相」とは、「報告・連絡・相談」のことである。

【トラスト4その3　クリンリネス】

鳥の目、虫の目、魚の目（P45参照）を使い分けることが大切です。

掃除能力検定練習問題

（　）に当てはまる最も適切な言葉を、1、2、3の中から1つ選びなさい。

●掃除の6大要素の中で大切なのは（　）の性質・特性を知ることである。

1. 汚れ　2. 地図　3. 時間

●掃除の5Sとは「整理・整頓・清掃・清潔・（　）」のことである。

1. 仕切り　2. 心配　3. 躾

●カーペット床面の水溶性のシミは（　）の洗浄液を使用する。

1. 中性洗剤　2. 酸性洗剤　3. アルカリ性洗剤

●中性洗剤はpH値が（　）である。

1. 0～6　2. 6～8　3. 8～11

●（　）は水中に溶解した物質が洗面ボウル、便器の水たまり等に付着したものである。

1. 青カビ　2. 糞便　3. 水垢

【トラスト4その4　コミュニケーション】

ボタンの掛け違い
それは
ほんの少しの
コミュニケーション
不足から
聞き上手は
コミュニケーション
達人への第一歩
聞くから聴くへ
コミュニケーションウーマン
〈コミュニケーション検定1級〉

ラポールとは相手と自分の心の間に架け橋をつくること。心のつながりを実感する。

ページング＝相手のペースに合わせる
ミラーリング＝相手のしぐさをまねする
バックトラッキング＝キーワードをオウム返しする

NLP最重要スキルは
「ラポール」！
ペーシング・ミラーリング・
バックトラッキングで
相手を笑顔に！
1対1の会話が
コミュニケーションの
基本！
具体的な「数字」
を使って話します

大事なことは声でも伝える、
文字でも伝える、
そして何度も伝える。
「何をするか」だけで
なく「なぜするか」を
説明するのが大事なの

相手に伝えたか！
相手が理解したか！
相手が納得したか！
これでようやく
コミュニケーションが
完成するのね！
人間関係向上！
うまくいったら
どうしたい
ですか？

コミュニケーション能力検定練習問題

●問題1　信頼獲得のスキルは何か。

①______スキル　②________　③________を満たすこと

●問題2　コミュニケーションの「領域」は2つある。空欄を埋めよ。

①________(バーバル) コミュニケーション

②________(ノンバーバル) コミュニケーション

●問題3　ラポールスキルを3つ書け。

①________________

②________________

③________________

●問題4　日本語でいう「くり返し」を空欄に書け。

①相手の話した「______」を反復する

②相手の話した「______」を反復する

③適宜、相手の話を「______」して返す（5～10分に一度）

●問題5　NLPコミュニケーションでのNLPとは何か。（　　）内に記入せよ。

N（　　　　　　）

L（　　　　　　）

P（　　　　　　）

商工会入会のメリット

小規模企業にとってブランドを持つことの大切さと、商工会に入ることでそれが手に入るということはおわかりいただけたでしょうか。ここで、もう一度商工会に入ることのメリットを箇条書きにして整理してみます。

1 経営指導員等による窓口・巡回相談指導
2 無担保・無保証人・低利のマル経融資（経営改善貸付）・金融相談
3 経営安定特別相談
4 青色申告の記帳指導・申告相談
5 専門家への相談
6 企業診断
7 研修会・講演会への参加
8 会議室等の利用
9 記帳代行
10 労働保険の事務代行
11 新規創業支援
12 経営革新計画の作成支援
13 海外展開を支援
14 異業種交流による情報交換
15 各種イベントへの参加
16 特産品の展示販売
17 青年部活動への参加
18 女性部活動への参加
19 部会活動への参加
20 最新の情報を提供
21 健康診断等の福利厚生事業
22 事業所の従業員等表彰
23 商工貯蓄・医療・ガン共済（受託機関・埼玉県商工会連合会）
24 事業主の退職金制度
25 特定退職金共済制度
26 火災共済
27 業務災害保険
28 商工会のビジネス総合保険
29 海外知財訴訟費用保険制度
30 生命傷害共済
31 会費のいらない商工会カード

（例）埼玉県三郷市商工会

これらのメリットを金銭換算してみると、私の試算では総額で30万円近くなります。それに対して商工会の年会費は1万円前後ですから、非常にお得です。

【商工会に入会して強いブランドを作る】

SWOT分析(例)

	市場競合からの機会	市場競合からの脅威
自社の強み	ブランド価値 おどる社歌 おどる動画 エピソード パーソナルブランド	強みを活かして脅威を機会に変える ブランドブック
自社の弱み	弱みを克服して機会をうまく捉える 商工会ブランド 社会とのつながり	最悪の事態にならないように手を打っておく 商工会入会

小規模企業のブランド化(例)

7 社会とのつながり	8 パーソナルブランド	1 商工会入会
6 エピソード	**自社のブランド化**	2 商工会ブランド
5 おどる動画	4 おどる社歌	3 ブランドブック

商工会に入会しましょう

最後に、本書を読んでいただいた方にプレゼントのお知らせがあります。

本書を読んで商工会に入会してくださった場合、私から読者のみなさんに次の特典を進呈します。

1 「経営計画書」のひな型

本書に掲載した経営計画書の一部分をワードのファイルで提供します。

2 そのまま使えるデータシート

次のデータシートの一部分を数値をブランクにしてお渡しします。

①長期事業構想
②月別利益計算表
③商品別販売計画
④お客様別販売計画
⑤前3期損益計算書

3　社歌に使える歌詞と楽譜

２０１ページから掲載している歌詞と楽譜は、実際に松井産業で使用している「おどる社歌」です。この歌には「松井産業」という言葉や、特定の業種を示す言葉が使われていないので、どこの会社でもそのまま使えます。ＹｏｕＴｕｂｅに振り付けもアップしてあるので、「歌って踊る」ことのできる社歌です。この歌詞と楽譜を進呈しますので、社歌としてお使いいただいてかまいません。この歌詞は、一番が「ホスピタリティ」、二番が「クオリティ」、三番が「クリンリネス」、四番が「コミュニケーション」となっています。ぜひ一緒に歌って踊って、会社の業績アップ、従業員のモチベーションアップに利用してください。

商工会への入会お申し込み、お問い合わせは、各地の商工会までお願いします。また、本書特典のお申し込み、お問い合わせは、次の連絡先までお願いします。

本書特典のお申し込み、お問い合わせ

〒 341-0003　埼玉県三郷市彦成 1-1
松井産業 株式会社　経営管理部
Tel.048-957-3211 Fax.048-959-2818
電子メール　saiyou@matsui-sangyou.co.jp
※ FAX、電子メールには必ずタイトルに
「書籍特典・商工会」とご記入ください。

本書を読んで商工会に入られた方は、上記までお知らせください。確認の上、特典プレゼントの手配をさせていただきます。

なお、本書特典の配布は 2020 年 9 月末日を期限とします。応募が規定数量に達した場合は、それ以前に予告なく終了することもあります。

【おどる社歌「合言葉はトラスト4」】

（1）
おもてなしは心だ　幸せ運ぶホスピタリティ
みんな仲良く明るい笑顔　Yeah Yeah Happy
ずっと輝くあなたの未来へ
H・Q・C・C！　みんなの笑顔
心のやさしさ、心の美しさ
どんな時も、思いをカタチに

（2）
できばえは心だ　こだわりのクオリティ
最高のものをつくるために　Oh Oh Saiko
ずっと輝くあなたの未来へ
H・Q・C・C！　みんなの笑顔
心を磨いて追求しよう
たったひとつの　宝物を

（3）
ピカピカ心だ　いつもきれいクリンリネス
磨いていこう　あなたのために　Wow Wow Kirei
ずっと輝くあなたの未来へ
H・Q・C・C！　みんなの笑顔
明るい気分にいつもしてあげるよ
心の庭を美しくして

（4）
つながりは心だ　楽しいコミュニケーション
微笑んで打ちとけてはずむ会話　Uki Uki Egao
ずっと輝くあなたの未来へ
H・Q・C・C！　みんなの笑顔
伝え合えば信頼めばえて
未来へ続く絆の糸が

作詞・作曲：美和

「合言葉はトラスト4」

（出サビ）ずっと かがやくあなた のみらいへ HQ CC
5
わすれな いでね どんなときも あ なたをさ さえる
8
7
あいことばは み んなのト ラスト 4
12
1：おもてなしは こ ころだ しあわせはこ ぶ ホスピタリティ
16
みんななかよ く あかるい えがお イェイイェイハッ ピー ずっと
20
かがやくあな た のみらい へ HQ CC
23
みんなの えがお こころのやさしさ こ ころのう つくし
26
3
さ どんなとき も おもいをか たちに

2：できばえは こころだ
こだわりの クオリティ
さいこうのものを つくる ために
オー オー サ
イコー ずっと かがやく あなた のみらい へ
HQCC
みんなの えがお こころをみがいて ついきゅう しよう
たったひとつ のたから もの を
3：ピカピカ こころだ
いつもきれいい クリンリネス
みがいていこう あなたの ために
Wow Wow キ
レイ ずっと かがやく あなた のみらい へ
HQCC
みんなの えがお あかるいきぶんに いつもして あげる
よ こころのにわを うつくし くして

66
4：つ な が り は こ ころだ た の し い こ ミ ュ ニ ケ ー ショ ン
70
ほ ほ え ん で う ちとけてはずむ かいわ ウ キ ウ キえがお ずっと
74
か が や く あ な た のみらい へ H Q C C みんなの えがお
78
つ た え あ え ば し ん ら いめ ば え て み ら い へ つ づ
81
7
く きずなの いとが さあ いこう ぼくら の ゆ めみる
87
ばしょへ あなたと わたし ひろげ て い こ う つ
90
6
ないだて の お おきなそ のわを ずっと
95
か が や く あ な た のみらいへ H Q C C わ す れ な い でね
99
ど ん な と き も あ な た をさ さえる な か ま が い る か ら だ いじょ う ぶ
103
あ い こ と ば は み ん な のト ラ ス ト 4

コラム5

「サブモダリティ」

人間は生きている間に、さまざまな五感からの情報を記憶します。五感からの情報の構成要素として「サブモダリティ」と呼ばれるものがあります。サブモダリティは、「視覚」「聴覚」「体感覚」に大別されます。

サブモダリティは感情と直結しているため、サブモダリティを使って感情の変化を起こすことができます。

1. 視覚のサブモダリティでは、犬がすぐ近くにいると恐怖を覚えるのに対して、犬を遠ざけると恐怖感が和らぎます。

2. 聴覚のサブモダリティでは、「ファイト！」という声が小さいか大きいかが、その人が元気がないか、元気かという印象の変化につながります。

3. 体感覚のサブモダリティでは、飲み物の温度が変わることで、おいしそうに感じたり、そうでなく感じたりします。

念ずれば花ひらく

100年にわたり、私たちは人の暮らしのお手伝いをしてきました。

呉服から始まり、米、鶏卵、鶏肉、豚肉、牛肉、飼料、不動産、建築、飲食、介護などを通じて、私たちはこのまちの暮らしや、人のこころに触れるようになりました。

笑顔で明るい子どもたち。生まれ育った地域に誇りを抱く大人。年齢を感じさせない高齢者の方たちに出会いました。たくさんの情報やアイデアが集まるようになり、あらためて、私たちのまちの大きな可能性に気づかされました。ここで暮らす人や企業がまちの将来を考え、話し合い、形にしていくまち。

私たちの取り組みが「ひとり輝く、みんな輝く、なにもかも輝く」その実現のために働いていきたい。私たちはもっと、このまちの活性化に貢献していきたい。そして私たちは「地域の元気をつくる事業」を推し進めていきたい。

一人一人のこころにHQCCがめばえ、そして企業に、社会に、HQCCの花を咲かせたい。

今日も私たちがつくっているのはHQCCです。

そしてこれからもつくっていくのはHQCCです。

著者プロフィール

松井孝司（まついたかし）

松井産業株式会社の二代目社長である松井廣司の長男として生まれる。東京理科大学工学部を卒業後、松井産業に入社。鶏卵食肉の卸小売業や建設工事のクレーム対応の責任者などを任せられる。その後、四代目社長に就任。新たに介護事業などを立ち上げ、経営計画書の導入などで同社を飛躍的に発展させた。在学時代から向学心が強く、本業に関する資格を中心に資格取得に励んだ結果、獲得した資格は100を優に超える。そのほか三郷市商工会副会長を務めるなど、地域社会の発展にも心を配っている。著書に『家族の夢をかなえる家づくり』（週刊住宅新聞社）がある。

編集協力者：佐藤伸泰（第2章）、広瀬隆次（第5章）

もうかる会社にはワケがある

ISBN 978-4-89623-137-3

2020年4月24日　初版発行

著　者　松井孝司

発行所　有限会社　悠々社
〒355-0328
埼玉県比企郡小川町大塚1168-5-3F
TEL 0493(59)9071　FAX 0493(59)9074
http://yuyusha.co.jp

発行者　山崎　修

発売所　まつやま書房
〒355-0017
埼玉県比企郡東松山市松葉町3-2-5
TEL 0493(22)4162　FAX 0493(22)4460
http://www.matsuyama-syobou.com

印刷所　株式会社HOKUTO

巻末資料

松井産業経営革新の歩み

創業の大正 11 年からずっと経営革新を続けてきたことが、今日の松井産業が存在している理由です。

そして、松井産業が創業１００年を迎えることができるのも、経営革新を続けてきたからにほかなりません。

創業時からの経営革新の歴史を振り返ってみると、次ページから始まる５つの図にまとめることができます。

本書をお読みいただいた方にこの図をご覧いただくことが､みなさんの会社を「もうかる会社」にする早道だと思い、巻末のこの場所に掲載しました。

「経営革新」に興味を持たれた方は、お近くの商工会でぜひお尋ねください。親切ていねいに教えてくれるはずです。

【松井産業経営革新のあゆみ 1】

1922〜1990 ごろ（過去）

 7　鶏肉	 8　飲食	 1　呉服
 6　鶏卵	経営 革新	 2　米穀
 5　飼料	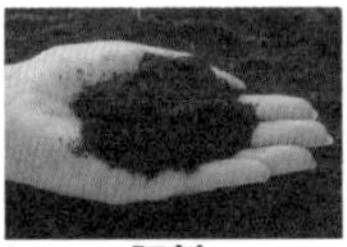 4　肥料	 3　わら縄

1968〜現在〜

 7　売買	 8　賃貸	 1　不動産
 6　工場	経営 革新	 2　分譲住宅
 5　倉庫	 4　アパート	 3　注文住宅

【松井産業経営革新のあゆみ 2】

1986～現在～

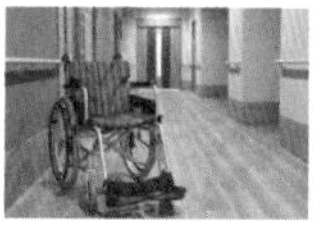 7　福祉用具	 8　住宅リフォーム	 1ファーストフード
 6　アニバーサリー	経営 革新	 2　コンビニ
 5　土地活用	 4　サブリース	 3　パソコン塾

2000～現在～

 7 特別養護老人ホーム	 8 グループホーム	 1　訪問介護
 6　老人ホーム	経営 革新	 2　居宅介護支援
 5　小規模多機能	 4　ディサービス	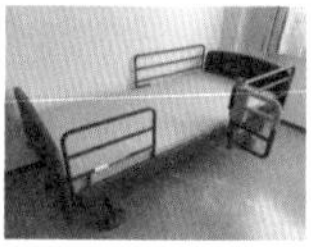 3　レンタル

【松井産業経営革新のあゆみ 3】

2020〜未来

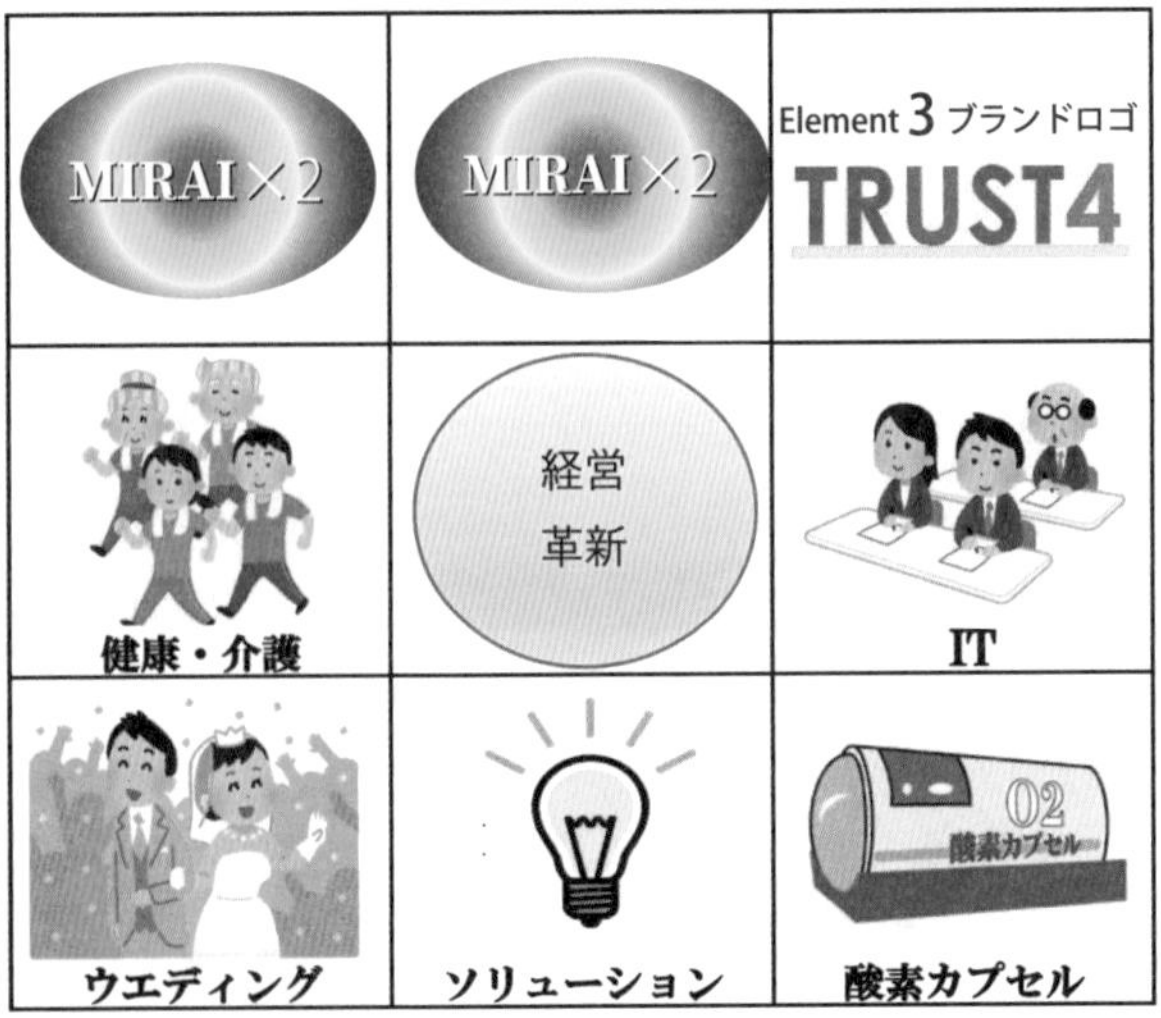

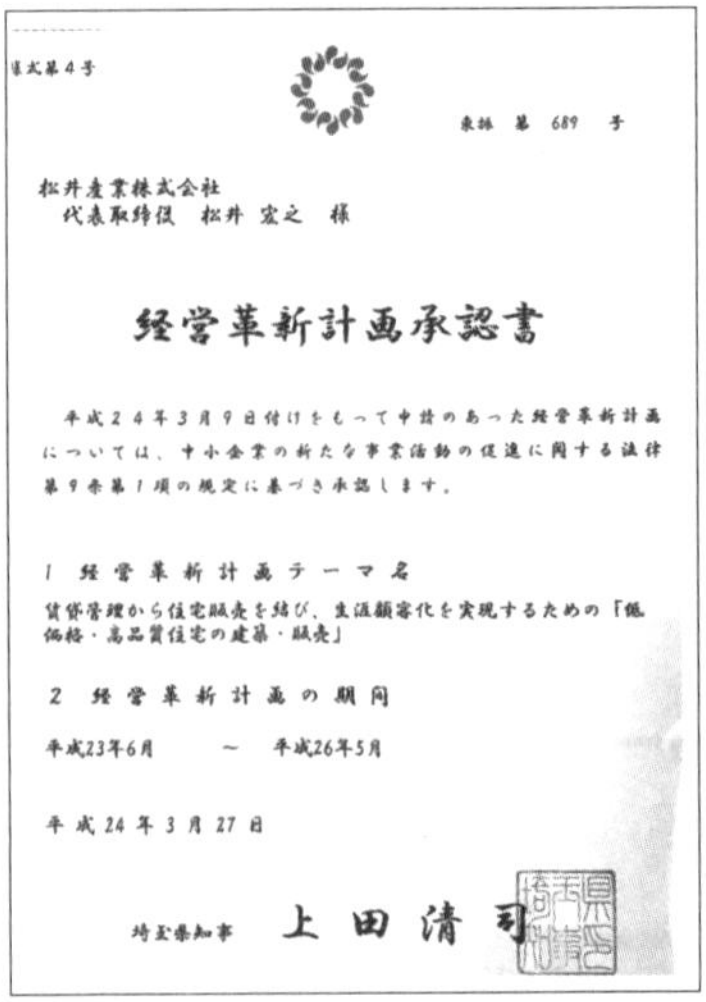

様式第４号

東振 第 689 号

松井産業株式会社
代表取締役　松井 宏之　様

経営革新計画承認書

平成２４年３月９日付けをもって申請のあった経営革新計画については、中小企業の新たな事業活動の促進に関する法律第９条第１項の規定に基づき承認します。

1　経営革新計画テーマ名

賃貸管理から住宅販売を結び、生涯顧客化を実現するための「低価格・高品質住宅の建築・販売」

2　経営革新計画の期間

平成23年6月　〜　平成26年5月

平成 24 年 3 月 27 日

埼玉県知事　上田清司

私たちの取り組みが「中小企業等経営強化法」に基づき平成24年度の「経営革新計画」において承認されました。

これは新商品・新サービスの開発や新しい販売方法の導入といった新たな取り組みを行うための中期事業のことです。